Piercings & Parels

Van Maren Stoffels

Dreadlocks & Lippenstift
Piercings & Parels
Cocktails & Ketchup

Sproetenliefde
Op blote voeten

www.marenstoffels.nl

Maren Stoffels

Piercings & Parels

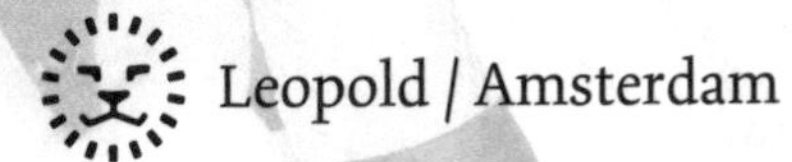
Leopold / Amsterdam

Voor Hans, Lydia en Nanda, die me onwijs hebben geholpen

Zesde druk 2008

Foto's: Jean van Lingen
Omslagontwerp: Petra Gerritsen
Uitgeverij Leopold, Amsterdam / www.leopold.nl
ISBN 978 90 258 4989 4 / NUR 283/284

Uitgeverij Leopold drukt haar boeken op papier met het FSC-keurmerk. Zo helpen we waardevolle oerbossen behouden.

Inhoud

Geheimzinnig gedoe

'Vertel nou!' zeur ik. Roosmarijn heeft een geheim voor me. Ik kan het niet uitstaan!

Ze lacht verlegen. 'Beloof je niet te lachen of het door te vertellen?'

Natuurlijk niet!

'Ook niet aan Tygo?'

Mijn vriendje hoeft toch niet alles te weten.

'Of Bella?'

Die gaat het niks aan. 'Kom op, vertel nou,' herhaal ik. 'We zijn toch samen op vakantie geweest?'

'Of Floor.'

'Ook niet aan Floor,' zeg ik, ook al weet ik nu al dat ik die belofte niet ga houden. Floor weet alles van mij en mijn vrienden.

'Ik ben verliefd,' fluistert Roosmarijn.

Verliefd? Roosmarijn? Die non? Daar kan ik me niks bij voorstellen. Ik dacht dat zij nooit naar jongens keek!

'Op wie?'

Roosmarijn staat op en gaat met haar rug naar me toe staan. Ze is vast zo rood als een kreeft.

'Nou?' vraag ik nog een keer.

'Dat zeg ik niet,' zegt ze vastberaden.

Ik wou dat ze ophield met dit gedoe. Het werkt op mijn zenuwen en ik ben veel te nieuwsgierig. Wie zou het zijn? Iemand uit onze klas? Of van celloles?

'Doe niet zo flauw!'

Roosmarijn weet toch ook alles van mij?

Maar ze blijft hardnekkig zwijgen. Dan moet ze het zelf weten. Ik kom er toch wel achter!

Van: Sofie Berger
Aan: Floor van de Heide
Subject: verliefd

Lieve Floor,

Alles goed? Leuk hè, dat ik ineens bij je op de stoep stond? Jij schrok eerst wel, zeg! Trouwens, mag ik binnenkort een nachtje komen logeren? Ik heb je zoveel te vertellen na die week op Kreta. Als het uitkomt, hoor. Zien we elkaar weer eens. Ik mis je!

Roosmarijn is verliefd, maar ze wil niet zeggen op wie. Heel frustrerend. Ik heb geen idee wie het is. Wat denk jij?

Liefs, kus,
Sofie

'Sofie! Waar zijn mijn cd's!' Stefan stampt de trap op en stormt mijn kamer in. Hij is woedend.

Nu hij met zijn knalrode kop voor me staat vergeet ik al mijn smoezen. 'Ik heb ze uitgeleend aan Bella, morgen krijg je ze terug.'

'Sofie,' brult hij nog harder. 'Ik heb ze nodig!'

'Doe eens even rustig! Je hebt die cd's nooit nodig!'

'Ik moet draaien vanavond!' Stefan schopt nu kwaad tegen mijn bureau, waardoor mijn thee valt. Precies over mijn Franse opstel.

Sinds het aan is met Mirjam probeert mijn broer indruk te maken door DJ te zijn. Ik heb me laten vertellen dat hij er geen zak van kan. Hij vergeet de platen op tijd op te zetten omdat Mirjam constant om zijn nek hangt.

Met ingehouden woede veeg ik mijn papieren voorzichtig droog. Wat een rampdag is dit. Eerst een geheimzinnige Roosmarijn en nu een boze Stefan. Ze kunnen de pot op!

Ik duw Stefan mijn kamer uit. Hij bonst nog scheldend op mijn deur, maar na een tijdje wordt het rustig. Zal ik Roosmarijn bellen? Ik moet echt weten op wie ze verliefd is. Ken ik hem? Misschien is het Stefan wel. Ik voel een lachkriebel opkomen. Stel je voor: je vriendin en je broer zijn een stelletje. Ik moet er niet aan denken!

Dan hoor ik het bekende ploinkje. Een e-mailtje van Floor.

Van: Floor van de Heide
Aan: Sofie Berger
Subject: leuk!!

Lieve Sofie,
Het lijkt me erg leuk als je komt in de voorjaarsvakantie! Mijn moeder vindt het prima, je mag zo lang blijven als je wilt. ☺
Ik schrok wel toen, want ik was even bang dat er iets ergs aan de hand was. Maar het was een leuke verrassing.

Wel vreemd dat Roosmarijn niets wil zeggen over haar liefde. Ik denk dat het iemand is voor wie ze zich schaamt, anders doet ze niet zo geheimzinnig! Probeer geduld met haar te hebben, anders kom je er nooit achter. Ik hoop voor je dat ze het snel vertelt.

Spannend nieuws: ik ga auditie doen bij de toneelschool in Arnhem. Dit is echt mijn kans. Ik ben nu al zenuwachtig. Stel je voor dat ik afgewezen word?

Gisteren heb ik voor het eerst een fotoshoot gedaan. Modellenwerk is fantastisch! Ik zal je snel een paar foto's sturen, dan kan je zeggen wat je ervan vindt. Veel mensen zeggen dat ik mooi ben, maar ik blijf onzeker. Waarom ben ik knap? Ik zie zoveel dingen aan mezelf

die ik anders wil.

Ik spreek je hopelijk snel weer,
Dikke kus vanuit Zutphen, Floor

Wauw! Een auditie voor de toneelschool. Ik ben zo blij voor Floor. Maar waarom is ze onzeker over zichzelf? De jury zal haar vast en zeker goed vinden. Ik heb haar één keer toneel zien spelen en toen was ik diep onder de indruk. Ze huilde zo echt dat ik haar wilde troosten.

Als Floor niet wordt toegelaten zit er echt een steekje los bij die mensen. Ik ben benieuwd naar haar foto's. Zou ik haar nog herkennen onder die lagen make-up die ze altijd op modellen smeren?

'Sofie, eten!'

Zuchtend doe ik de computer uit. Beneden zit Stefan met een zuur gezicht aan tafel. Hij kijkt niet eens op als ik aanschuif. Waarom is hij zo boos? Hij heeft zat cd's. Dat hij nou per se deze twee nodig heeft! Bella geeft ze heus wel terug. Mirjam wacht maar even. Die meid heeft hem helemaal in haar macht. Pasgeleden wilde ze dat hij haar met scheikunde hielp, maar Stefan wilde met een vriend naar de bioscoop. Uiteindelijk heeft hij de hele avond boven haar boeken gehangen. Toch niet normaal?

'Wat is met jullie aan de hand?' vraagt mama terwijl ze opschept. Papa eet vanavond niet mee. Hij moet overwerken. De laatste tijd eten we nooit meer met z'n vieren.

Mama wordt er niet vrolijker op. Ze snauwt mij en Stefan constant af of ze begint ineens te huilen.

'Nou?' vraagt mama weer.

Heeft die etter zijn kop weer niet kunnen houden? Hij moet altijd alles tegen mammie vertellen. Dit is toch iets tussen hem en mij?

'Stefan is aan het puberen,' roep ik treiterend.

Stefan proest zijn eten uit. 'Hallo? Jij hebt mijn cd's uitgeleend aan die dreadlocksnol.'

'Stefan! Zo praten we niet over elkaar.' Mama kijkt hem kwaad aan.

'Sorry. Maar ik wil die cd's hebben. Sofie gaat ze maar halen! Mirjam rekent op me.'

Altijd die eeuwige Mirjam. Mama vindt het nog een goed idee ook. Dus ik moet zo meteen door de kou naar Bella fietsen? Ja hoor, dat kan er nog wel bij.

'Wat kom jíj nou doen?' vraagt Bella lachend als ze opendoet. Ze trekt me naar binnen. Even later zit ik met een kop thee op haar kamer.

Ik lijk ook wel gek. Wie gaat er in dit weer nou naar buiten? Alleen maar omdat Mirjam die cd's wil horen.

'Ik kom die cd's halen die ik je uit had geleend.'

Bella begint te lachen. 'Kom je daarvoor helemaal hierheen? Ik had ze toch maandag mee naar school kunnen nemen?'

'Stefan heeft ze vanavond nodig. Hij gaat weer draaien.'

Bella trekt een moeilijk gezicht. 'Nee toch? Die jongen is een ramp, Soof! Iedereen noemt hem Duffe Jongen. DJ heeft nu een heel andere betekenis.'

Ik moet lachen. Ik had al wel een andere grap gehoord: Stefan, de DJ zonder hersenpan.

‘Verder alles goed?’ vraagt ze als we weer naar beneden lopen.

Ziet ze aan me dat ik een baaldag heb?

‘We moeten snel weer eens afspreken,’ gaat ze verder. ‘Videootje kijken, muziek draaien, jeweetwel. De goede oude tijd.’

‘Moeten we zeker doen! Volgend weekend?’

Bella knikt. ‘En dan nodigen we de rest ook uit. Goed?’

‘Prima!’

Ik geef Bella een zoen en stap de kou weer in. Mijn handen vriezen bijna van mijn armen af. Ik had handschoenen aan moeten doen. De weg naar huis lijkt drie keer zo lang als de heenweg. Alle stoplichten staan op rood. Iemand in de auto naast mij draait zijn raampje open. Ik herken de vrolijke kop van Ger, de vader van Roosmarijn. Hij steekt twee handschoenen naar buiten. ‘Trek deze maar snel aan voordat je ziek wordt.’

Ik pak ze dankbaar aan. Lekker warm!

‘Hoe gaat het met je, Sofie? Ik heb je lang niet gezien bij ons thuis!’

Dat klopt. Roosmarijn is de laatste tijd vaak somber en daar weet ik totaal geen raad mee. Zoals laatst toen ik haar huilend op de wc betrapte. Ik begon maar over mijn wiskundehoofdstuk. Roosmarijn deed alsof er niets aan de hand was. Ik vind haar heus niet alleen leuk als ze vrolijk is. Ik ga Roosmarijn vanavond nog bellen.

‘Ik kom snel weer langs, beloofd!’

Ger draait zijn raampje weer dicht en geeft gas. Hij toetert nog even voordat hij de hoek om racet. Ik vervolg mijn weg naar huis. De handschoenen zitten ineens minder lekker.

‘Met Roosmarijn.’

‘Hai, met Sofie.’

‘Sofie, wat leuk dat je belt. Je had mijn vader gezien, hè?’

Waarom begint ze daarover? Ik wil weten hoe het met haar gaat, ik heb geen zin in een blabla-gesprek.

‘Hoe is het met je?’ vraagt ze.

‘Met mij prima, maar ik belde eigenlijk om te vragen hoe het nu met jou gaat.’

‘Heel goed!’

Ik zucht. Vertrouwt ze me hierin ook al niet? Ik zie toch dat er wat is? Ik heb het heus wel gemerkt in de klas. In haar schrift tekende ze het gezicht van haar moeder. Ze moet me vertrouwen!

‘Ik wil dat je eerlijk tegen me bent, Roosmarijn.’ Dat ik het ook over de verliefdheid heb zeg ik nu maar even niet.

‘Hoe bedoel je? Het gaat prima met mij.’ Ik hoor de irritatie in haar stem. Dit is zinloos, ze geeft nooit toe dat ze zich rot voelt. Kennelijk ben ik een minder goede vriendin voor haar dan ik zelf dacht.

‘Ik zie je morgen wel. Doei.’

‘Sofie? Wacht nou e...’

Ik druk de telefoon uit. Eerst die verliefdheid waar ik niets van mag weten en nu haar zogenaamde goede humeur. Ik ben ook verbaasd over mijn eigen reactie. Waarom wind ik me zo op?

Beneden hoor ik de boze stem van mijn moeder. Ik dender de trap af om wat sap in te schenken. In de kamer hoor ik mijn vader tegen mijn moeder: ‘Wat denk jij! Dat ik het leuk vind om zo lang te moeten werken!’

Mama snauwt nijdig terug: ‘Alsof ik het leuk vind om zo lang op jou te moeten wachten! Je hebt nooit meer tijd voor mij en de kinderen. Ik ben jou helemaal zat! Ik werk me uit de naad, en wat krijg ik terug? Niks!'

Waarom doen ze zo tegen elkaar? Alsof ik al niet genoeg problemen heb. Ze gedragen zich als een stel pubers! Ik schenk snel mijn glas vol en stamp de trap weer op. De deur smijt ik extra hard dicht. Als zij geen rekening met mij houden doe ik dat ook niet met hen.

Boven bedenk ik me dat ik nog niet heb gevraagd of ik de volgende vakantie bij Floor mag logeren. Als het niet mag ga ik toch, want ik heb genoeg geld bij elkaar gespaard.

Ik hoor een geluidje. Alweer een e-mail? We zouden beter kunnen msn'en, maar mijn vader vindt dat het ten koste zou gaan van mijn schoolwerk. Maar het is geen e-mail, het is een sms. Gauw pak ik mijn mobiel. Als ik op het envelopje klik zie ik dat het van Tygo komt.

Nieuw Hey lief, 10 uur op t bankje bij boerderij? X T

Wat is hij toch een schat! Hij weet me altijd weer te verrassen. Mijn ouders doen heel onaardig tegen hem, daarom spreekt hij liever ergens anders af. Toen hij een keer mee-at zodat ik hem aan hen kon voorstellen was de stilte om te snijden. Mijn vader zat Tygo constant aan te kijken, waardoor mijn vriendje begon te stotteren en even rood werd als de tomatensaus op zijn bord. Nadat Tygo weg was heeft papa een uur lang op hem gescholden. Dat hij onbeschoft was omdat hij nauwelijks wat zei en dat hij totaal niet geschikt was voor zijn dochter. Volgens mij vindt mijn vader niemand geschikt voor mij. Wat een onzin. Ik hou van Tygo! Daar gaat het toch om?

Als ik beneden mijn jas aantrek hoor ik mijn ouders nog steeds op elkaar schelden.

'Als we zo gaan beginnen...'

'Ach mens, hou toch je kop. Je bent zelf net zo erg!'

Ik wil niet eens weten waar ze het over hebben en trek de deur achter me dicht. De kou is nog erger dan daarnet. Ik kruip diep weg in mijn winterjas. Gelukkig is het parkje niet ver. Het bankje ligt tegenover de kinderboerderij waar Tygo en ik een keer heen zijn geweest. Zoenen, praten, zoenen, praten. Zo vulden we de dag. Ik moet zachtjes giechelen. Dan zie ik in de verte ineens een zee van lichtjes. Nieuwsgierig loop ik erheen.

Daar zit Tygo met een stuk of twintig waxinelichtjes. Hij heeft een knalrode neus van de kou en hij wrijft zijn handen over elkaar.

'Wat heb jij nou?' vraag ik.

Tygo glimlacht. Op die glimlach viel ik een jaar geleden, tijdens de wiskundeles. Ik smolt bijna van verliefdheid, maar durfde niks te ondernemen.

'Vind je ze mooi?' vraagt hij voorzichtig.

Hoe kan hij dat nou vragen? Ik vind het zo mooi dat ik er haast van ga huilen. Hoe kan hij weten dat ik zo'n behoefte aan hem heb?

'Kom zitten!' Tygo schuift wat opzij. Er waaien meteen een paar lichtjes uit. Ik kruip rillend naast hem en hij slaat een arm om me heen. Ik adem zachtjes wolkjes kou uit.

'Soof?'

'Ja?'

'Ik wil je iets vragen,' begint Tygo voorzichtig. 'Ik weet dat we verkering hebben en het gaat goed tussen ons, maar ik wil meer zekerheid.'

Zekerheid? Waar heeft hij het over?

'Je snapt toch wel wat ik bedoel?' vraagt hij.

Ik schud mijn hoofd.

Tygo krabt op zijn achterhoofd. Dat doet hij altijd als hij zichzelf geen houding weet te geven. Ik begin ineens zenuwachtig te worden. Waarom zegt hij niet wat er aan de hand is? Nog zo'n geheimzinnig persoon kan ik er niet bij hebben!

'Denk je wel eens aan later?'

'Natuurlijk.'

'Wat zie je dan?'

'Gewoon, kinderen, een leuk huis, huisdieren.'

'En zie je mij?' Zijn stem trilt een beetje.

Bedoelt hij dat? Wil hij later met me trouwen? Aan de ene kant maakt het me blijer dan ooit, maar ik ben ook bang. Geweldig dat hij zoveel van me houdt dat hij dáár al aan denkt, maar ik wil nog niet aan iemand vastzitten. Ik ben toch veel te jong om al aan trouwen te denken? 'Ik bedoel niet nu,' roept Tygo snel. 'Ik wil heel graag met je trouwen, maar later.'

Ik haal opgelucht adem. Hij denkt er gelukkig hetzelfde over als ik. 'Natuurlijk wil ik later met jou trouwen,' roep ik uitgelaten.

'Mooi zo.' Hij buigt zich grijnzend naar me toe.

Ochtendhumeur

'Gek! Waarom hing je zaterdag zo snel op?' Roosmarijn komt lachend naast me zitten. Ze heeft haar haren in een knot gebonden en ze draagt een lelijk versleten spijkerjack.

'Ik had buikpijn,' mompel ik zachtjes, terwijl ik me op mijn Engels probeer te concentreren. Ik heb een ontzettend ochtendhumeur en ben nog steeds beledigd omdat Roosmarijn me niets wil vertellen.

'Lieverd, toch!' Roosmarijn slaat een arm om me heen en probeert me te knuffelen. Dat moet ze niet doen. 'Laat me met rust.' Ik sla kwaad om me heen. Roosmarijn deinst geschrokken achteruit.

'Allemaal opgelet!' Carolien klapt in haar handen. Ze klapt het bord open en ik zie het in één oogopslag: grammatica.

Ik had in bed moeten blijven.

'Let maar niet op haar, ze is strontchagrijnig.' Roosmarijn gooit haar tas naast die van Ellen en gaat op tafel zitten.

Bella komt meteen naast me staan. 'Wat is er?'

Ik zucht diep. Dank je wel, Roosmarijn. Nu moet ik het ook nog eens allemaal uit gaan leggen! En wat willen ze horen? Dat ik baal omdat Roosmarijn geheimen voor me heeft? Of omdat mijn ouders niet meer door één deur kunnen? Of dat Stefan me ergert?

Tygo komt erbij staan met Bruno. Die jongen heeft iets vrolijks met dat rode haar en die sproeten, geweldig!

Ik kwam hem laatst tegen in de discotheek, en we hebben de hele avond met elkaar opgetrokken. Even dacht ik dat hij zich verplicht voelde, maar hij wilde alles voor me betalen en heeft me daarna zelfs thuisgebracht.

Bella wil weer beginnen over mijn ochtendhumeur, maar ik weet haar af te leiden: 'Hoe was Stefan met draaien?'

Bella vertelt dat een meisje uit haar klas naar het feest is geweest, maar dat iedereen klaagde over de DJ. Stefan kan wel een ander baantje gaan zoeken. Mirjam stond constant aan hem te plukken en soms viel de muziek zelfs uit. 'Geen aanrader dus, die broer van jou!'

'Is Duffe Jongen jouw broer?' vraagt Bruno grijnzend.

Heerlijk, mijn vrienden! Ze weten me altijd weer op te vrolijken.

'Dat klopt.' Ik lach tegen hem. 'Hij moet nog heel wat leren.' Als Stefan weer een gemene opmerking maakt zal ik hem dit eens lekker inwrijven.

Tygo trekt me tegen zich aan. Hij ruikt weer heerlijk. We beginnen te zoenen, maar worden onderbroken door Bruno, die lachend op Tygo's rug klopt.

'Stoor ik? Ik wilde jou uitnodigen voor een feest vanavond, het is een rockband. Interesse?'

Tygo schudt zijn hoofd. 'Ik mag maandagavond niet uit, sorry!'

'Wie zijn het?' vraag ik nieuwsgierig.

'Wil jij misschien mee?' vraagt Bruno met een rood hoofd en hij haalt twee kaartjes tevoorschijn.

Een concert van de Heideroosjes? Ik knik en vlieg hem om de hals. Wat lief om mij mee te vragen! Naar mijn favoriete band nog wel!

'Hoe kom je aan die kaartjes?' roept Tygo jaloers en hij bekijkt het merkje.

‘Ze zijn echt, hoor,’ lacht Bruno. ‘Gekregen van een collega van mijn vader. Mazzel dus.’

Ik kijk Tygo dolblij aan. ‘Lief van hem, vind je niet?’

Tygo geeft me achteloos de kaarten terug en zwaait zijn rugzak om zijn schouder. ‘Ik zie je boven, Bruno.’

‘Je gaat niet naar dat concert, hoor je me?’ Mama staat onder aan de trap en brult zo hard dat ze boven mijn muziek uit komt. Ik wilde even lekker in de stemming komen met mijn Heideroosjes-cd. Mijn T-shirt heb ik al aan.

‘Ik ga toch!’ roep ik terug. Alsof mijn moeder me tegen kan houden. Deze kans laat ik heus niet voorbijgaan. Een gratis kaartje!

De deurbel gaat en ik hoor mijn moeder opendoen.

‘Dag mevrouw, ik ben Bruno.’

‘Hallo, jongeman. Voor wie kom jij?’

‘Voor Sofie, is zij er ook?’

‘Ja, maar ze heeft huisarrest, dus vergeet dat concert maar!’

Ik ga boven aan de trap staan en begroet Bruno. ‘Kom maar naar boven, mijn moeder maakt een grapje.’

Ik zie Bruno verbaasd naar mijn moeder kijken. ‘Wat heeft dit te betekenen?’ vraagt hij als hij op mijn bed ploft.

‘Ze is gewoon ongesteld. Dan hebben vrouwen dat!’ Lachend wring ik mijn haren in een staart. Ik bekijk mezelf in de spiegel en doe nog wat armbanden aan.

‘Juist,’ mompelt Bruno terwijl hij alweer rood wordt. Wat is die jongen verlegen! Ik vind hem aandoenlijk. Tygo kan soms zo stoer doen.

Ik vraag wat Bruno wil drinken, maar hij hoeft niets. Hij bekijkt aandachtig de fotocollage boven mijn bed.

Foto's van Tygo, Bella, Malou, Ellen, Floor en natuurlijk van Roosmarijn. Het doet pijn als ik de foto van Roos en mij zie. Wat is er toch aan de hand tussen ons de laatste tijd? Ze vertelt me niets meer. Het voelt alsof ik haar kwijtraak, terwijl we juist zo goed met elkaar overweg konden. We zijn zelfs samen op vakantie geweest!

'Gaat het wel?' Bruno staat op.

Ik knik en draai me snel om. 'Zullen we gaan?'

De rit met de bus is saai. We moeten een heel eind door de polder en daarna over de snelweg. Bruno zit zwijgend tegenover mij. Ik kijk uit het raam. Het begint te regenen. Had ik nou maar een jas aangedaan. Gelukkig is het in die zaal altijd snikheet. Ik zak lekker onderuit en laat mijn wereldje voorbij komen: Roosmarijn, die niets wil zeggen over haar geheime liefde. Tygo, die later met me wil trouwen. Floor, die auditie gaat doen voor de toneelschool en model is. Menno, die terug is bij zijn vriendin en voor wie mijn hart zo snel klopt dat het pijn doet. Hij vroeg me ooit verkering, maar ik koos voor Tygo. Waarom eigenlijk? Bella en ik kwamen er tijdens een melig slaappartijtje achter dat ik meer van Tygo hield. Maar er gaat geen dag voorbij dat ik niet aan Menno denk.

Hoe langer ik zo uit het raam zit te staren, hoe droeviger ik word. Ik kijk vanuit mijn ooghoeken naar Bruno. Hij zit ook onderuitgezakt en merkt dat ik naar hem gluur.

'Wat?'

Ik glimlach. 'Niets, je zag er schattig uit zo.'

Hij gaat meteen anders zitten en veegt zijn haren in model. Ik moet wat aardigs zeggen. Iets over die kaartjes. Ik word opgewonden van het idee dat ik straks mijn idolen zie.

‘Wat lief dat je mij meeneemt,’ zeg ik.

Bruno haalt zijn schouders op. ‘Ik vind het leuk om iets samen te doen. Net als laatst in die discotheek.’

‘Hartstikke gezellig!’ Ik buig me voorover om hem een zoen op zijn wang te geven.

Bruno kleurt tot diep in zijn nek en staart weer uit het raam.

Om me heen staan allemaal verschillende types. Hanenkammen, gothics, spikearmbanden, glittertypes, huppelkutjes zelfs!

‘Het begint!’ Bruno stoot me hard aan, waardoor de helft van mijn drankje op de grond valt.

Het voorprogramma is geweldig. Een enthousiaste zanger stelt zijn band voor en ze spelen een uur lang. Keiharde muziek. Ik sta te trillen op mijn benen als de Heideroosjes opkomen. De zanger ziet er in het echt heel anders uit. Ik ken ze natuurlijk alleen van foto’s.

Zodra hun grote hit voorbijkomt begint iedereen te springen. Ik baan me een weg naar voren, waar de pit is. Alle mensen springen tegen elkaar op en Bruno en ik duwen de mensen net zo hard terug.

‘Nog één nummer,’ roept de zanger. ‘Vangen!’ De gitarist gooit zijn plectrum het publiek in en Bruno vangt het. Een meisje probeert het af te pakken, maar Bruno geeft het grijnzend aan mij. ‘Alsjeblieft!’

Ik kijk hem verbaasd aan. ‘Wil je het zelf niet?’

Bruno schudt zijn hoofd. Ik stop het voorzichtig in mijn broekzak. Die krijgt een mooi plekje op mijn kamer, denk ik terwijl ik nog één keer uit mijn dak ga op het laatste nummer.

De laatste bus halen we nog net. Bruno kijkt me van opzij aan.

'Ik voel me geweldig. Het was zo leuk. Moeten we echt vaker doen!'

Ik schurk gezellig tegen hem aan. Bruno is precies wat ik zoek in een goede vriend.

'Ik weet niet of ik nog eens kaarten kan krijgen,' grapt hij. Natuurlijk gaat het niet over dat concert. En ik wil ook gewoon nog eens iets met hem doen, wat dan ook. Hij kijkt me even strak aan en ik voel een lichte kriebel in mijn buik. Komt dat door de schokkende bus of door hem?

'Gaat het eigenlijk goed tussen jou en Tygo?' vraagt Bruno ineens. Ik schrik van de vraag. Natuurlijk weet hij dat we een paar weken uit elkaar zijn geweest. Tygo had veel steun aan hem. Even schiet er een rare gedachte door mijn hoofd. Zou Bruno dat vragen omdat hij...? Nee, dat kan niet!

'Het gaat heel goed tussen ons.'

Bruno kucht zachtjes. Gelooft hij me niet? Heeft Tygo iets gezegd?

'En met jouw liefdesleven?' plaag ik hem.

Bruno wordt meteen weer zo rood als een biet. Hij poetst de knopen van zijn jas schoon en staart naar het bordje boven de buschauffeur: *Geen patat en ijs in de bus.* Ik moet er niet aan denken op dit moment.

'Nou?' vraag ik nog eens.

'Ik ben niet verliefd.'

'Nee?'

'Nee!'

'Ben je het ook nooit geweest?'

Bruno trekt zijn arm los en verschuift een beetje. Heb ik een gevoelige snaar geraakt? Misschien had ik niet zo door moeten vragen. Stom, Sofie, stom!

'Sorry,' zeg ik als Bruno nog moeilijker begint te kijken. 'Ik was gewoon nieuwsgierig.'

Bruno schudt zijn hoofd. 'Geeft niet,' bromt hij zachtjes.

Jaloezie

'Zozo,' zegt Tygo als we elkaar zien in de pauze. 'Die Bruno toch.' Wat klinkt zijn stem ineens vreemd. Het zegt het alsof Bruno zijn aartsvijand is.

'Doe eens even normaal!'

Tygo kijkt me quasi-verbaasd aan. 'Het is toch lief van hem?'

Dus dat is het: hij is gewoon jaloers. Dacht ik even zonder problemen te zitten, komt mijn vriendje ook nog eens. Dat ik Bruno een leuke jongen vind is toch niet strafbaar?

'We zijn gewoon een avondje uit geweest en hebben keurig onze handen thuisgehouden, hoor.'

Nu kijkt Tygo me helemaal wantrouwend aan. Bruno komt bij ons staan en het gesprek valt stil. Tygo gaat naast Bella zitten, die eindelijk uitgepraat is over de gebruinde Cuma uit haar klas. Ik val Bruno om de hals en bedank hem nogmaals voor het plectrum en het concert. Dat Tygo zo kinderachtig doet wil nog niet zeggen dat ik Bruno ga negeren.

'Het plectrum hangt in mijn lijst, bij die concertfoto, weet je nog?'

Bruno knikt. 'Ja, mooie foto is dat. Gelukkig ben je er blij mee.'

Tygo kucht hard. Wat een aansteller!

'Er draait vanavond een goede film, gaan jullie mee?' vraagt Bruno, terwijl hij een verfrommelde filmladder uit zijn zak haalt. Ik kijk mee over zijn schouder.

'Ja,' roep ik uitgelaten. 'Die wil ik zien!'

Tygo kucht nog harder.

'Tygo ook?' Bruno kijkt naar zijn vriend, die hem onderzoekend aankijkt. Dan schudt Tygo achteloos zijn hoofd. 'Gaan jullie maar.'

Bruno haalt zijn schouders op. 'In dat geval: tot zo, gozer. Soof, ik haal je vanavond op. We maken er een gezellige avond van!'

Daar heb ik echt zin in. Ik moet er niet aan denken om weer een avond tussen mijn ruziënde ouders te zitten.

Ik kijk hem na als hij zich een weg naar de uitgang baant. De eersteklassers moeten massaal voor hem opzij. Ik vind hem zo leuk om te zien met zijn oranje haar en sproeten. Als hij wat zekerder van zichzelf zou worden zou hij heel wat meisjes kunnen krijgen.

'Een gezellige avond?' roept Tygo sarcastisch. 'Die Bruno, zou hij dan toch op meisjes vallen?'

Ik kijk hem vernietigend aan en geef hem een mep tegen zijn schouder. Wat kan die jongen bot zijn.

'Wat nou?' roept Tygo uitdagend. 'Het is toch zo?' Dan beent hij kwaad de kantine uit. Mijn goede humeur van daarnet heeft hij helemaal verpest. Waarom gunt hij mij geen leuke avond?

'Weet je wat Cuma gisteren zei?' roept Bella uitgelaten. Ze gaat staan en gebaart heftig met haar handen.

'Bella, ik wil het niet weten,' roep ik chagrijnig terug.

'Hoe was het concert?' Roosmarijn buigt zich nieuwsgierig naar me toe. We hebben geschiedenis en ik zit in mijn agenda te tekenen. De toegangskaartjes van gisteren heb ik er ook ingeplakt.

'Het was geweldig,' fluister ik terug. Ik word weer vrolijk als ik erover praat. Ik heb eindelijk mijn idolen ontmoet.

‘En met Bruno?’ Dat vraagt ze zeker naar aanleiding van die stomme opmerking van Tygo.

‘Bruno is zo lief!’ zeg ik enthousiast en ik krijg een veelbetekenende blik van mijn vriendin terug.

‘Lief?’ Roosmarijn is ook al achterdochtig. Vindt ze soms dat Tygo gelijk heeft? Dat is dan ook voor het eerst, die twee mogen elkaar niet zo. Geen idee waarom, maar ze praten nooit met elkaar.

‘Ja, gewoon lief,’ snauw ik. ‘Mag dat niet meer tegenwoordig?’ Ik wil zo graag met iemand praten die me begrijpt, maar de laatste tijd lijkt iedereen uit te zijn op een sappig verhaal.

‘Sofie?’ De leraar zet zijn bril af en staat op. Zijn tafel kraakt als hij erop leunt. Hij gaat met één bil op zijn bureau zitten en vouwt zijn handen in elkaar.

‘Wat is er interessanter dan mijn les?’

Ik kijk hulpzoekend naar Roosmarijn, maar die heeft ook geen antwoord klaar.

‘Nou?’

Ik schraap mijn keel. ‘We hadden het over de Tweede Wereldoorlog.’

Terwijl ik het zeg, hoor ik hoe ongeloofwaardig het overkomt. Leerlingen die tijdens de les over een geschiedenisonderwerp praten... Dat klinkt als oma’s die in hun vrije tijd touwtjespringen op de binnenplaats van een gevangenis.

‘Nu even serieus,’ roept de leraar, terwijl hij kwaad van zijn ene bil op de andere wipt.

‘Ik meen het.’

Edwin, mijn grootste vijand in de klas, wacht grijnzend af. Hij hoopt zeker dat ik straf krijg.

‘Sofie, vertel me eens,’ begint de docent. ‘Van wanneer tot wanneer was die oorlog?’

'Van 1940 tot 1945.' Dat wist ik op de basisschool al.

De leraar lijkt onder de indruk en gaat weer achter zijn bureau zitten. Het lokaal vult zich weer met zijn monotone voorleesstem. Edwin zakt teleurgesteld onderuit.

Tygo en ik zitten samen op mijn bed en we lezen een rockblaadje. Als we een interview met de Heideroosjes tegenkomen trek ik snel het blaadje uit zijn handen. Ik begin aandachtig te lezen. Tygo staat op. Hij pakt elk fotolijstje op en zet het vervolgens weer neer. 'Soof?'

'Ja?' zeg ik afwezig. De zanger vertelt net hoe de band bij elkaar is gekomen.

'Was het leuk met Bruno?'

'Hmm-hmm.'

'Ja?'

'Hmm-hmm.'

'En hij gaf jou dat plectrum?'

'Hmm-hmm.'

'Aardig.'

'Hmm-hmm.' Dus het eerste concert van de Heideroosjes was daar? Nooit geweten!

'En hij bracht je thuis?'

'Hmm-hmm.'

'Sofie?'

'Ik probeer te lezen, Tygo!' roep ik geïrriteerd. Tygo staat met een foto van ons tweeën in zijn hand. Hij is gemaakt op de kinderboerderij. Toen het uit was heb ik die foto heel vaak vastgehad. Ik miste Tygo vreselijk.

'Kijk je nog wel eens naar die foto?' vraagt hij.

Ik kijk hem verbaasd aan. Natuurlijk kijk ik daarnaar. 'Wat wil je nou?'

'Ik wil alleen weten hoe het was,' roept hij beledigd.

'Dat heb je vanochtend al gevraagd.'

Tygo raapt zijn tas op. 'Dan ga ik maar.'

Ik houd hem tegen. 'Wat moet ik zeggen dan?'

Tygo gaat op mijn bed zitten en pakt het blaadje. Hij doet alsof hij leest, maar zijn ogen gaan veel te snel heen en weer. 'Alles.'

Ik plof op mijn bureaustoel neer. 'Het was gewoon super. Het concert, de mensen, de sfeer, alles!'

'En Bruno?' vraagt Tygo.

Gaat het nou alweer over hem? Moet ik Tygo er nou van gaan overtuigen dat ik hem echt leuker vind dan zijn beste vriend?

'Lieverd, ik vind Bruno gewoon aardig, meer niet.'

'Hmm-hmm.'

Gelooft hij me niet? Moet ik het soms gaan bewijzen? Zijn naam op mijn arm laten tatoeëren? Heel groot 'Tygo' in de lucht schrijven met een vliegtuig?

'Je bent kinderachtig bezig, Tygo.'

'Ik?' roept hij ineens. 'Doe ík kinderachtig?'

'Ja, eerst maak je een scène in de kantine en nu begin je hier.'

'Sofie Berger, moet ik het nog duidelijker maken? Bruno is verliefd op jou.'

'Heeft hij dat gezegd?'

'Nee, maar dat merk ik aan alles.'

Ik schud mijn hoofd. 'Je zei zelf dat Bruno op jongens valt.' Tygo zit er helemaal naast. Bruno is gewoon een vriend van mij. Bruno, die nooit vriendinnetjes heeft. Bruno, die al rood wordt als je het over verkering hebt. Is díe Bruno verliefd? Op mij? Ik krijg al lachkriebels als ik eraan denk. Tygo ziet spoken.

'Je gelooft me niet?'

Ik schud mijn hoofd. 'Nee. Maar als het jou geruststelt, ik ga het hem vanavond vragen. Goed?'

Tygo knikt. 'Je zal zien dat ik gelijk heb.'

Papa zit met een knorrig gezicht aan tafel. Stefan is naar Mirjam, dus ik ben de enige die eet wat papa heeft gekookt. Het stinkt en het is een soort groene drab met gele stukjes. Ik schuif aan en probeer de lucht te verdringen. Papa lijkt weinig zin te hebben in gezeur. Het smaakt zoals het eruitziet.
Ik probeer niet door mijn neus te ademen. Dan proef ik het minder. Eindelijk heb ik mijn bord leeg. 'Het was lekker, pap!' Ik geef hem een kus op zijn kalende hoofd. Papa bromt wat onverstaanbaars. Hij ziet er zielig uit: helemaal alleen aan tafel, met vies eten, zonder mama. Boven kleed ik me snel om zodat ik nog tijd over heb om Floor te mailen.

Van: Sofie Berger
Aan: Floor van de Heide
Subject: jaloers gedoe

Lieve Floor,

Hopelijk gaat het bij jou wat beter dan hier. Tygo is ervan overtuigd dat Bruno verliefd op me is. Bij het idee moet ik al lachen, want Bruno is volgens mij nog nooit verliefd geweest. Niet op meisjes in ieder geval. Ik heb Tygo beloofd om het hem vanavond te vragen. Ik vind dat wel eng, hoor. Zo meteen is het waar. Hoe langer ik erover nadenk, hoe meer ik twijfel. Bruno heeft me al twee keer mee uit gevraagd en hij bloost als ik hem knuffel of een complimentje geef. Waarom wordt zo'n jongen verliefd op mij? Ik voel me niet speciaal, eerder het tegenovergestelde. Ik heb echt zo'n standaard gezicht.

Hoe zit het met je auditie? Heb je al gehoord wanneer je op moet draven? Ik wil best met je meegaan als je het eng vindt, hoor. Het gaat je heus wel lukken. Je hebt echt talent. Toen ik je zag spelen kreeg ik spontaan tranen in mijn ogen.

Hoe gaat het met Menno en Isabella? Ik hoop dat hij een beetje over mij heen is. Nog even over dat logeren. Ik heb het nog niet gevraagd, maar reken erop dat ik in de eerste week van de vakantie kom!

Oei, ik hoor de deurbel. Dat moet Bruno zijn! Ik spreek je later, heel veel sterkte met alles.
Kus, Sofie

Papa staat beneden met Bruno te praten. Snel trek ik hem mee naar buiten. 'Doei pap, ik ben vanavond laat thuis.'

Voordat mijn vader iets terug kan zeggen zijn we de voortuin uit. 'Vanwaar die haast?'

'Ik wilde je redden van de eindeloze gesprekken met mijn saaie vader!' Bruno hoeft niet te weten dat mijn vader elke jongen aan een kruisverhoor onderwerpt voordat ik met hem uit mag.

Bruno schiet in de lach. 'Dank je wel!'

Ik geef hem een arm. Het is maar een paar minuten lopen naar de bioscoop. Bruno heeft al kaartjes. Hij wil niet dat ik iets betaal. Wat lief! Het voelt zo anders dan met Tygo. Tygo kan soms nogal lomp zijn, maar Bruno is heel gevoelig. Als Tygo zo jaloers doet, vind ik hem helemaal niet meer zo leuk. En wanneer moet ik het aan Bruno vragen? Nu of na de film? Het verpest in beide gevallen de sfeer. Wat een sukkel is mijn vriendje toch.

Natuurlijk is Bruno niet verliefd op mij. Moet ik nu een ruzie riskeren met Bruno omdat mijn vriendje last heeft van hersenspinsels? Eigenlijk is het te belachelijk voor woorden, maar ik heb het nou eenmaal beloofd.

'Bruno?'

'Ja?'

Ik haal heel diep adem. 'Ben je soms verliefd op mij?'

Herinneringen

Van: Floor van de Heide
Aan: Sofie Berger
Subject: ontmoeting

Lieve Sofie,

Ik moet echt even iets kwijt. Ik ben mijn hele leven nog nooit zo vreselijk bang geweest. Ik zal je vertellen wat er is gebeurd.
Ik was met Manuel naar het eindtoneelstuk van zijn nichtje geweest. Toen we in de garderobe onze jassen wilden halen hoorde ik ineens een stem achter me. Ik begon als een gek te trillen. Daar stond mijn oude leraar van de basisschool! Je weet wel, die ene die me altijd het gevoel gaf dat ik niets waard was. Jarenlang heb ik last van hem gehad en ik trek het nog steeds niet als ik hem zie. Ik wist totaal niet wat ik moest doen. Manuel merkte dat ik overstuur was en stelde voor om naar buiten te gaan. Dat wilde ik niet, ik wilde niet weglopen. Dus draaide ik me om en keek hem recht in zijn gezicht. Ik weet zéker dat hij me herkende, zoiets merk je gewoon. Ik bleef hem strak aankijken en toen liep hij weg. Ik werd knalrood, maar ik moest het wel doen. Ik wil niet eeuwig op de vlucht blijven voor die man.

Nu voel ik me heel slap. Het lijkt wel alsof hij alle energie uit me heeft gezogen. Dat ik nog zo'n angst voor die man heb! Ik herkende zijn stem al voordat ik hem had gezien. Echt heel eng.

Ik vind het geweldig als je mee wilt naar die auditie. Het is in de voorjaarsvakantie. Ik bel je wel als ik de precieze tijd en datum weet.
Heb je het al aan Bruno gevraagd? Ik snap dat je je gevleid zou voelen, maar haal alsjeblieft niet te veel aan. Zo meteen raak je Tygo weer kwijt. Ik snap trouwens best dat jongens verliefd op je worden. Je bent lief, spontaan, sociaal: een geweldige meid!
Mail je snel terug?

Kus, hou van je,
Floor

Dus Floor heeft weer een moeilijke dag achter de rug. Wat vreselijk voor haar dat ze die leraar tegenkwam. Vorig jaar vertelde ze me over die man. Elke dag liet hij haar merken dat hij haar dom vond. Bovendien was hij heel schijnheilig, want hij deed soms aardig en soms gemeen. Toen haar klasgenoten haar ook nog eens begonnen te pesten door te zeggen dat ze dik was, is het helemaal misgegaan. Ze begon met een onschuldig dieetje, maar dat is steeds meer uit de hand gelopen. Daar is haar probleem uit voortgevloeid: anorexia.

Van: Sofie Berger
Aan: Floor van de Heide
Subject: niet verliefd!

Lieve Floor,
Nou, ik heb het aan Bruno gevraagd. Je had zijn kop

moeten zien. Ik voelde me zo'n lompe doos. Het sloeg ook nergens op. Hij zei dat hij me heel lief vond, maar verder niets met me wilde. Ik had het kunnen weten, ik ben de vriendin van zijn beste vriend. Tygo's jaloezie heeft ervoor gezorgd dat ik me de hele film opgelaten voelde. We zijn na de aftiteling meteen naar huis gegaan. Hopelijk vraagt hij me nog eens mee uit. Wat moet hij wel niet van me denken?

Toen ik jouw e-mail over die leraar las schoot ik vol. Ik kan me zo goed voorstellen hoe bang je moet zijn geweest! Natuurlijk ben je zijn stem niet vergeten, en natuurlijk ben je nog steeds bang voor die man. Hij heeft jouw leven verwoest.
Ik vind het ontzettend knap dat je hem gewoon aankeek! Daardoor raakt hij zijn macht over jou kwijt. Hij heeft niet langer meer controle over jou, dat heb je hem goed duidelijk gemaakt. Je bent nu heel erg slap, maar dat gaat over. Ik weet zeker dat je daarna net zo trots op jezelf bent als ik nu op jou!

Liefs,
Sofie

Beneden hoor ik een deur dichtslaan. Ik gaap en merk nu pas hoe moe ik eigenlijk ben. Ik kijk naar mijn verleidelijke bed. De dekens liggen opengeslagen en ik kan er zo instappen. Toch eerst maar even tanden poetsen.

Als ik in de badkamer mijn rode ogen zie was ik eerst mijn gezicht met warm water. Wat zie ik er verlept uit. Net als ik mijn tandpasta boven mijn tandenborstel uitknijp, hoor ik beneden geschreeuw. Mama is thuis. Dat was die deur die dichtsloeg. Waar gaat het nou weer

over? Ik zet de deur naar de overloop open.
'Waar was je nou!'
'Ik was bij een klant, Richard wilde dat ik hem zou knippen!'
'Tot midden in de nacht? Heb je zijn schaamhaar ook meteen gedaan?'

'Theo!' roept mijn moeder. Ze kan er niet tegen als hij vunzige dingen zegt. Ik vind het wel een goede grap van mijn vader.
'Nou?' Mijn vader weer.
'Ik was gewoon even blijven hangen. Hij houdt ook van opera, net als ik.'
'Dat is mooi. Jullie kunnen misschien samen uit?'
Ik hoor aan papa's stem dat hij beledigd is. Het is ook niet te geloven, mama met een andere man!
'Misschien doen we dat ook wel.' Ik hoor een harde bons. Mama heeft nu vast een stuk kaas gepakt. Ze gaat altijd eten als ze kwaad is.
'Luister. Ik heb vanavond gekookt en afgewassen. Je had op z'n minst even kunnen bellen. Maar nee, madame is net als haar dochter.'
'Wat is er met Sofie?'
'Ze was vanavond uit. Niet met dat joch, die Tygo, maar met een eersteklas imbeciel. De hulk is er niets bij.'
Hoe durft hij zo over Bruno te praten? Ik moet me bedwingen om niet naar beneden te stormen en hem een mep te verkopen.
'Gaat ze dan niet meer met Tygo?'
Vader maakt een vreemd geluidje. 'Wie zal het zeggen?'
Er verschuift een stoel. 'Ik ga met haar praten.'
'Nee, Marijke, dat doe je niet. Ik wil eerst weten wat jouw gedrag te betekenen heeft.'

‘Ik heb hier geen zin in, Theo. Dat eeuwige geruzie. Kunnen we niet normaal tegen elkaar doen?’

Precies. Goed zo, mama. Misschien heb ik dan éindelijk rust in mijn eigen huis.

‘Dus hij is niet verliefd?’ vraagt Roosmarijn.

Ik zit op haar kamer. Ze staat bij haar cd-speler en zet een cd van Pink op.

Ik schud mijn hoofd en blader in een tijdschrift. Zal ik haar nog eens proberen uit te horen?

‘Hoe gaat het met jouw liefde?’ vraag ik zo nonchalant mogelijk. Roosmarijn wordt meteen knalrood. ‘Prima,’ is het korte antwoord. Ik wacht op een verhaal, maar ze houdt haar mond.

‘Wie is het nou?’

‘Gaat je niets aan.’

Er wordt geklopt en Ger steekt zijn kop om de deur. Ik spring meteen op om hem de handschoenen terug te geven.

‘Zaten ze lekker?’ vraagt hij vriendelijk. Ik knik.

‘Pap, ga nou weg, je stoort ons!’

Storen? Waarmee? We zijn toch al uitgepraat? Ze wil toch niet zeggen wie het is en ik ben niet van plan om het uit haar te slaan.

‘O, sorry,’ Ger wil de deur weer dichttrekken. ‘Willen jullie dan niets drinken?’

‘Doe maar twee sinas.’

‘Waar waren we?’ vraagt Roosmarijn als de sinas er is. Ik neem voorzichtig een slokje. Als ik prik te snel drink komt het letterlijk mijn neus uit.

‘Bij jouw geliefde.’

‘O ja. Nou kijk, Sofie, ik wil er gewoon niet over praten. Het wordt toch nooit wat.'

'Hoezo niet?'

'Geloof me nou maar. Die persoon ziet mij echt niet staan!'

'Onzin.' Roosmarijn is leuk om te zien. Haar haren zijn een beetje getemd. Ze ziet er allang niet meer uit als een ontploft vogelnest. Toen we op vakantie waren op Kreta keken alle mannen naar ons. Zij had minstens evenveel aandacht als ik. Ger heeft zelfs een keer een man een klap verkocht omdat hij Roosmarijn lastigviel. We hebben uren lang dubbel gelegen toen we terug waren in het hotel. Ger was verbijsterd. 'Hij zat bijna aan je billen!'

'Je bent toch hartstikke leuk?' roep ik uit. 'Zeker als je je haren in een staart bindt!'

Roosmarijn kleurt alweer. Waarom bloost ze altijd als iemand haar complimentjes geeft? Ze trekt haar staart wat strakker en neemt nu ook een slokje van haar sinas. 'Dank je wel, Soof.'

Stefan zit onderuitgezakt als ik de woonkamer binnenkom. De afwas staat torenhoog op het aanrecht en de tv staat keihard. Zijn vieze sokken liggen in de gang. Hij heeft zijn blote voeten op het tafeltje gelegd en neuriet mee met de muziek.

'Stefan,' roep ik boos. 'Je zou de afwas doen.'

Mijn broer kijkt me duf aan. 'Maak je niet druk. Ik doe het zo meteen.'

Jaja, dat ken ik van hem. Straks komt er een leuke film op tv en doet hij niets. Dan mag ik alles afmaken. Ik wil hem van de bank sleuren, maar daar is Stefan niet van gediend en hij probeert me te slaan.

'Vuile trut.'

'Jij doet nooit wat in huis, ik ben het zat.'

Hij haalt uit en zijn vlakke hand knalt tegen mijn wang. 'Klootzak,' huil ik.

Als hij me achterna wil komen gaat de deurbel. Stefan doet open. 'Mirjam!'

Ook dat nog. Ik zit nu echt niet te wachten op zijn vriendinnetje. Door Mirjam doet hij nooit meer wat in huis en de tijd dat wij samen tegen onze ouders waren is ook voorbij. Hij lijkt wel compleet gebrainwashed! Als zij erbij is probeert hij altijd indruk te maken door míj af te zeiken.

In de badkamer houd ik een koud washandje tegen mijn wang. Hopelijk zie je er morgen niks meer van. Anders moet ik iedereen uitleggen wat er gebeurd is. Morgen is het weekend! Dan gaan we een film kijken bij Bella! Tygo, Roosmarijn, Ellen en Malou komen ook. Hopelijk wordt het weer als vanouds. We doen de laatste tijd veel te weinig samen.

'Sofie?' Stefan staat onder aan de trap. Hij gaat met Mirjam naar de bioscoop en ze zijn pas laat terug. Als ik even later beneden kom zie ik de afwas nog steeds staan. Uit kwaadheid smijt ik de theedoek op de grond en bonk weer naar boven. Ze kunnen allemaal doodvallen, die afwas doet hij lekker zelf!

Van: Floor van de Heide
Aan: Sofie Berger
Subject: gelukkig

Lieve Sofie,

Ik ben zo blij dat je me zo goed begrijpt met die leraar. Ik ben nog steeds een beetje angstig en afwezig, maar dat verdwijnt wel. Gelukkig is Manuel er om me op te vrolijken. Ik hou zoveel van hem, Soof! Ik zie ons nog wel trouwen later.

Geloof je nou echt dat Bruno niet verliefd op je is? Natuurlijk is Tygo jaloers. Dat kun je hem niet kwalijk nemen. Wees blij dat je vriendje van je houdt. Daar gaat het toch allemaal om? Als Bruno toch verliefd op je is, gaat dat ook wel weer over. Alles komt goed, meid. Ik geloof in jou.

Liefs, Floor

Van: Sofie Berger
Aan: Floor van de Heide
Subject: ouders, broers & andere onzin

Lieve Floor,

Gelukkig heb jij Manuel om je te troosten. Ik ben echt blij dat je over die Jim heen bent. Manuel klinkt als een verstandige en lieve vriend, precies wat je nu nodig hebt.

Mijn ouders hebben de laatste tijd altijd ruzie. Ze maken veel herrie en ik heb nauwelijks rust. Ze kunnen toch wel eens rekening met mij houden? Stefan is alleen maar bij zijn Mirjam. Ik word gek van dat kind. Sinds Stefan met haar omgaat is hij niet meer zichzelf. Ik geef het niet graag toe, maar ik mis mijn broer.

Morgen ga ik een film kijken bij Bella samen met Tygo, Roosmarijn, Malou en Ellen. Misschien dat Bruno ook komt, maar ik denk het niet. Waarschijnlijk durft hij niet meer na mijn lompe actie.

Ik weet nog steeds niet op wie Roosmarijn verliefd is. Ze wordt altijd knalrood en begint dan zo stom te giechelen. Ze is veel te onzeker. Is ze soms verliefd op een beroemdheid? Die nieuwe jongen uit GTST? En waarom is ze erover begonnen als ze toch niet wil zeggen wie het is?

Ik weet het echt niet meer, Floor.

Kus, Sofie

'Waarom heb je de afwas niet gedaan?' Papa en mama staan kwaad in mijn deuropening. Ik zit op de grond tussen allerlei tijdschriften. Ik zoek nieuwe plaatjes voor mijn agenda, maar in alle tijdschriften staat hetzelfde: Justin Timberlake, Di-rect, Britney Spears. Waar zijn de Heideroosjes? Misschien moet ik toch een abonnement nemen op dat rockblad waar Bella het laatst over had. Toen ze het liet zien was ik een uur niet meer aanspreekbaar. 'Stefan zou het doen,' roep ik verontwaardigd tegen mijn ouders. Waren ze dat soms vergeten?

'En waar is Stefan?'

'Die is naar Mirjam.'

'Dan had jij het toch even kunnen doen,' roept mama nu.

'Sorry, maar ik had veel huiswerk.'

Ze trappen er met open ogen in. Huiswerk is voor hen nog belangrijker dan de huishoudklusjes. Wat zaten zij in de rats toen ik bijna zou blijven zitten. Ze hebben me elke dag gecontroleerd.

'Waar waren júllie trouwens?'

'Wij waren *uit*,' roept papa trots en hij trekt mama tegen zich aan. 'Nietwaar, schat?'

'Ja, wij waren uit. Die film was erg leuk. Ik wist niet

dat jouw vader zo goed stil kon zitten!' Mama probeert in mijn wang te knijpen, maar ik ontwijk haar hand.

'Beter dan Richard?' fluister ik.

'Pardon?' Papa komt dreigend op me af.

'Niets!' roep ik en ik duw ze mijn kamer uit. 'Niets.'

Soms kun je je zo lekker op je ouders afreageren! Ik plof weer in kleermakerszit. Als ik een plaatje in mijn agenda plak, valt mijn oog op een kort tekstje dat rechts onderin is gekrabbeld. Het handschrift is scheef en rommelig.

WACHT JIJ MAAR!!

EDWIN

Ik verstijf ter plekke en smijt mijn agenda weg. Hoe kan dit? Wanneer heeft hij dit erin geschreven? Wanneer heeft hij mijn agenda gepakt? Het moet tijdens een van de keuzewerktijd-uren zijn gebeurd. Dat heeft hij slim aangepakt. Roosmarijn moet het ook gemist hebben. Ze had me wel gewaarschuwd als hij mijn agenda had gepakt. Met een angstig voorgevoel pak ik mijn agenda. Ik kras er met een grote benzinestift net zo lang overheen tot er geen letter meer te lezen valt.

Filmpje

'Sofie, kom binnen!' Bella houdt haar deur uitnodigend open en pakt mijn jas aan. Ik blaas mijn handen warm. Het wordt steeds kouder buiten. Het is nu eind januari en het heeft gesneeuwd. Heel weinig, maar toch.

Binnen zitten Malou en Ellen al te wachten. Soms voel ik me schuldig tegenover deze twee vriendinnen. Bella en ik zijn duidelijk heel close. Ellen en Malou hangen er altijd maar een beetje bij. Even later komt Roosmarijn binnen met een dikke muts op haar hoofd. De blosjes staan op haar wangen en ze blaast net als ik haar handen warm. 'Dit is andere koek dan Kreta,' roept ze als ze me ziet. Ik spring op en omhels haar stevig. Als ik haar drie zoenen geef staat ze even verbaasd te kijken. Dit is de eerste keer dat ik dit doe bij haar. Bella geef ik al jaren zoenen als ik haar zie, maar voor Roosmarijn is het nieuw.

'Ga zitten,' roept Bella, die binnenkomt met dampende chocomel. Dankbaar pak ik de beker aan. Roosmarijn nestelt zich dicht tegen me aan en trekt haar benen op de bank. Ik zie dat ze weer die belachelijke gestreepte wollen sokken van haar moeder draagt.

'Hé schat.' Tygo zoent mij. Ik hoorde hem helemaal niet binnenkomen. Hij heeft een knalrode neus van de kou. Hij pakt mijn beker af en warmt zijn handen. 'Bella? Heb je voor mij ook zo'n beker?'

Hij wurmt zich tussen mij en Roosmarijn in. 'Zo, alles goed hier?'

Het irriteert me dat hij meteen naast me gaat zitten. Ik

heb er soms zo'n behoefte aan even alleen met mijn vriendinnen te zijn.

'Ja, maar ik had gisteren weer ruzie met mijn ouders.'

'Waarom?'

'Mama en Richard weer.'

Tygo knikt begrijpend. 'Vreemd hoor, van jouw moeder...'

'Ja,' zucht ik. 'Het is niets voor haar.'

'Wat is niets voor haar?' Bruno staat nu ook in de kamer. Hij heeft een knalrode muts op, die ontzettend vloekt bij zijn haren. Aan de zijkant pieken er wat haartjes uit. Zijn das is groen en hij heeft een dik winterjack aan. Zo heeft hij inderdaad wel wat weg van de hulk. Hij is misschien wel 1 meter 95. Ik zie Tygo jaloers naar hem kijken.

'We hadden het over mijn moeder en Richard.'

Bruno knikt en gaat in een luie stoel zitten. Hij ritst zijn jas open en trekt zijn schoenen uit. 'Niets voor je moeder.'

Ik knik. 'Vonden wij ook al.'

'Je kent haar niet eens, Bruno,' roept Tygo verbaasd.

Bruno schudt zijn hoofd. 'Jawel. Ik heb Sofie toch opgehaald voor het concert.'

'Denk maar niet dat je Marijke in één keer kent,' roept Tygo en hij pakt zijn chocomel weer op.

Ik knijp Tygo zachtjes in zijn arm. 'Kom jij eens even mee.'

Als we op de gang staan word ik kwaad. 'Ik baal van dat jaloerse gedrag van jou. Het slaat nergens op. Ik heb het toch aan Bruno gevraagd? Ik stond echt voor schut. Hij is niet verliefd op mij.'

Tygo lacht schamper. 'Geloof je hem? Van kilometers afstand voel je dat toch aan? Ik dacht dat vrouwen daar een zesde zintuig voor hadden.'

Wat een sukkel vind ik hem! Ik sla kwaad tegen de muur.

'Ja, ik geloof hem. Waarom zou hij liegen?'

'Omdat ik hem anders niet meer moet?'

'En nu doe je wel aardig tegen hem? Kom op, Tygo.'

Tygo kijkt me verbaasd aan. Ik word nooit kwaad op hem. Mijn wangen zijn rood en ik voel mijn bloed koken. Tygo moet toegeven dat hij fout zit. Bruno verdient het niet om zo afgeblaft te worden.

'Oké, sorry,' zegt hij zacht en pakt mijn handen. 'Ik wil je niet kwijt.'

'Sufferd, dan zeg je dát toch? Kom, de anderen zullen wel denken.'

Als we de woonkamer weer in komen kijkt iedereen ons aan. Roosmarijn schuift opzij zodat we naast elkaar kunnen zitten, maar Tygo ploft naast zijn vriend neer. 'Sorry, Bruno.'

Meteen is mijn boosheid weg. Tygo maakt het goed omdat ik dat wil. Ik ga naast Roosmarijn zitten. Bella stopt de film erin, een thriller. Eigenlijk moet je die 's avonds kijken, want nu is er niets engs aan. Roosmarijn begint zelfs een gesprek bij de achtervolging van de hoofdpersoon. 'Is het weer goed?' vraagt ze nieuwsgierig.

Ik knik.

'Gelukkig maar.' Het klinkt niet erg gemeend. Roosmarijn mag Tygo niet zo. Tygo kan soms nogal bot overkomen, maar dat bedoelt hij niet zo. Roosmarijn is daar extra gevoelig voor. Jammer, ik had liever gezien dat ze vrienden waren. Misschien moet ik Tygo eens vragen wat aardiger te doen. Maar dan moet Roosmarijn ook beter haar best doen.

'Vinden jullie het wel leuk?' Bella draait zich om. Ze zit op een groot kussen op de grond.

'Ja,' roepen Roosmarijn en ik tegelijk. Het is wel lullig om zo door de film heen te praten. Misschien willen anderen het verhaal wel volgen. Maar even later zet Bella de film zelf stil om pizza's in de oven te stoppen.

'Gaan we nog even naar de disco?' vraagt Bella als de aftiteling van alweer een volgende film over het scherm rolt.

Ik vind het een prima plan. Ik slaap altijd goed als ik uit ben geweest. Dansen tot je erbij neervalt, heerlijk!

Ellen en Malou zijn moe, dus zij vertrekken naar huis. Roosmarijn twijfelt.

'Kom, Roos. Ga nou mee!'

'Waarom?'

'Voor mij?' Ik kijk haar bijna smekend aan.

Dat werkt. Roosmarijn belt haar vader dat ze iets later komt. Ik hoor Ger aan de andere kant van de telefoon.

'Kom nou gewoon naar huis, Roosje.'

'Nee, pap. En ik wil niet dat je me zo noemt.'

'Ga je alleen?'

'Nee, met Bella, Tygo, Bruno en Soof.'

'Sofie? Sofie Berger?'

'Ja, die ja.'

'Zou je dat nou wel doen, meid?'

'Ja, ik zie je vanavond.'

Roosmarijn drukt haar vader weg en stopt haar mobiel in haar zak. 'Vaders!' zegt ze lachend.

'Kom, we gaan,' roept Bella en even later zitten we op de fiets.

Denkt Roosmarijn nou echt dat ik Ger niet hoorde? Waarom wil haar vader niet dat ik meega? Ik dacht altijd dat hij me wel aardig vond. Hij leende me zijn handschoenen en hij lacht altijd als hij me ziet. Is dat allemaal gespeeld? Wat heeft hij tegen mij? Denkt hij soms dat ik aan de drugs ben en zijn dochter erin meetrek?

Een hand op mijn arm.

'Soof?'

Roosmarijn kijkt me bezorgd aan.

Ik kijk op en zie dat we er bijna zijn. 'Wat is er?' vraagt Roosmarijn.

Verward schud ik mijn hoofd. 'Ik gebruik geen drugs.'

Roosmarijn begint te lachen. 'Nee, gelukkig niet.'

Wat een blunder! Ik was nog helemaal in gedachten. Gelukkig zijn we bij de disco en hoef ik geen verklaring af te leggen. Bella gaat ons voor naar binnen. Deze discotheek ken ik helemaal niet.

Als we binnen zijn, en Bruno wat drankjes haalt, trekt Tygo me de dansvloer op. Binnen een paar tellen zijn we de anderen kwijt. Bruno komt drankjes brengen. Hij blijft een beetje ongemakkelijk naast ons staan. Hij zal zich wel het vijfde wiel aan de wagen voelen. Ik zie Tygo kijken als ik met Bruno begin te swingen. Ik moet die jongen toch een beetje op zijn gemak stellen? We hadden het toch goed gemaakt? Dan houdt de muziek ineens op. Ik kijk verbaasd naar boven, waar de draaitafel staat. Ik slaak een gil. Wat doet Stefan daar?

'Nee, hè!' Ik stoot Bella aan, die bij ons is komen staan.

Ze knikt. Bella had het allang in de gaten. 'Duffe Jongen aan het werk.'

Ik begin te giechelen. Dit is de perfecte wraak op vanmiddag. Als zijn kleine zusje hem ziet klunzen is dat natuurlijk een regelrechte afgang.

Ik blijf naar boven kijken. Mirjam hangt zoals altijd om zijn nek en Stefan zoekt zenuwachtig naar de juiste knoppen. Hij haalt een nieuwe plaat uit zijn tas en houdt hem enthousiast in de lucht. Een paar mensen klappen, maar de rest begint hem uit te schelden.

‘Klootzak. Rot op, man! Laat je moeder draaien!’

Eigenlijk is het wel zielig voor hem. Hij staat voor gek in een volle discotheek.

‘Waarom boeken ze hem nog?’ vraag ik aan Bella, die hikkend van het lachen op Roosmarijn hangt.

‘Hij, haha, hij is gratis.’

Gratis? Ik dacht dat hij altijd zo fors betaald kreeg.

Stefan is nu knalrood en hij frommelt nog wat aan de tafel. Dan schiet de muziek ineens weer aan. Veel te hard. Sommige mensen slaan hun handen voor hun oren. Stefan draait weer wat en dan komt het normale volume terug. Mirjam geeft hem trots een zoen. Wat een domme del met die modellenbenen en dat korte rokje. Mijn broer kan toch wel wat beters krijgen?

Bella tikt op mijn schouder. ‘Kom, we gaan hem even begroeten.’

Zal ik meegaan? Het is wel lullig om hem uit te lachen. Maar dan voel ik even aan mijn wang. Hij heeft me wel geslagen.

Ik loop achter Roosmarijn en Bella aan naar boven. ‘Hé, broertje.’ Ik sla hem op zijn schouder.

Stefan kijkt geschrokken op. Zijn mond blijft even openhangen maar hij herstelt zich snel en zet snel zijn arrogante blik op. ‘Wat moet je?’

‘Dat deed je goed, man,’ roept Bella vals. ‘Is dit je beroep?’

Stefan knikt stug en legt een andere plaat op de draaier. De nummers lopen deze keer goed in elkaar over.

‘Krijg je goed betaald?’ vraag ik.

‘Gaat je geen moer aan.’

Mirjam komt tussen ons in staan en duwt me ruw naar achteren. ‘Opdonderen, kleintje.’

Nu gaat ze te ver. Ik geef haar een duw terug. ‘Ik ben zijn zus, ga zelf weg!’

Alle boosheid van de afgelopen dagen komt naar boven. Dankzij die meid doet mijn broer niets meer in huis en krijg ik overal de schuld van.

Mirjam blijft even staan, maar geeft me dan weer een duw. Ik val tegen Roosmarijn aan.

Ik ga laaiend tegenover Mirjam staan. Het liefst had ik haar knock-out geslagen, maar ik beheers me. Straks worden we eruitgezet.

'Kom, we gaan.' Ik trek Bella en Roosmarijn mee. Ik moet kalmeren, anders draai ik nog door. Waar komt deze agressie vandaan?

'Ja, ga maar,' roept Mirjam hard. 'Heb ik je broer tenminste weer voor mezelf.'

De bitch! Ik draai me om en ren nu in volle vaart op haar af. Ik stort me boven op Mirjam en raak haar overal waar ik kan.

'Sofie, stoppen,' brult Stefan. 'Stoppen!'

Van: Sofie Berger
Aan: Floor van de Heide
Subject: gevecht

Lieve Floor,

Ik heb Mirjam verrot geslagen. Maar het voelt niet goed. Waarom heb ik dat gedaan? Zo vreselijk gemeen was ze nou ook weer niet. Ik ben misschien gewoon jaloers. Hoe langer ik erover nadenk (en dat doe ik de hele tijd) des te meer schaam ik me. Ik heb haar geslagen omdat hun relatie wel goed gaat. Tygo en ik, ik weet het gewoon niet meer. En als ik dan Mirjam zo zie kleffen met mijn broer, word ik er kotsmisselijk van. Als ze dan ook nog gaat roepen dat ze mijn broer voor zichzelf wil dan kan ik daar slecht tegen. Het lijkt misschien wel alsof we alleen maar ruzie maken, maar Stefan en ik kunnen niet zonder elkaar. (Ik zou dat alleen nooit toegeven, maar jij houdt je mond wel, toch? ☺)

Stefan probeerde ons uit elkaar te halen, maar dat lukte hem niet. Toen ben ik door zo'n kleerkast de discotheek uitgezet. Mijn vrienden hebben me naar huis gebracht. Ze wilden zelfs bij me blijven vanavond, maar ik wil alleen zijn. Wat had ik tegen Tygo kunnen zeggen? Dat ik Mirjam sla omdat ik jaloers ben op haar relatie met Stefan? Ik ben zo stom bezig. Volgens mij vergeeft Stefan me nooit. En terecht.
Weet jij wat ik moet doen? Ik voel me ellendig.

Kus, Sofie

Ik houd een koud lapje tegen mijn opgezwollen lip. Papa en mama schrokken zich dood toen ze me zo zagen. Mama dacht dat ik aangevallen was door een zwerver.

Toen Stefan thuiskwam vertelde hij wat er gebeurd was. Papa had me het liefst het huis uit gezet. Ze zijn allebei erg tegen geweld.

'Ze ging door het lint!' Stefan dikte de boel lekker aan. Toen ik de trap op ging hoorde ik hem nog tekeergaan tegen mijn ouders. 'Geef haar dan huisarrest, die meid is gevaarlijk!'

Dan hoor ik het bekende geluidje. Floor, godzijdank. Ik klik op het envelopje en open de mail. Mijn ogen vliegen over het beeldscherm.

Van: Floor van de Heide
Aan: Sofie Berger
Subject: o, o

Lieve Sofie,

Ik wist niet wat ik las. Zo ken ik jou helemaal niet. Jij bent toch helemaal niet agressief? Jaloezie, dat kan je helemaal kapot maken. Ik snap het heel goed, maar denk alsjeblieft goed na voordat je iemand kwetst. Want ik weet zeker dat Stefan er niets van snapt en zo jaag je hem alleen maar tegen je in het harnas! Geef het wat tijd, dan vergeeft hij je heus wel. Je hebt Mirjam toch niet doodgeslagen? ☺

Liefs, kus Floor

Opgelucht zet ik de computer uit en stap ik in bed. Gelukkig is Floor niet kwaad. Ze keurt mijn gedrag niet goed, maar kan er de humor wel van inzien. Natuurlijk heb ik Mirjam niet doodgeslagen. Ze had alleen een bloedlip en een paar krassen op haar gezicht. Dat oog zal de komende week wel blauw zijn. Misschien net iets groter dan haar zonnebril.

Ik grinnik in mezelf. Ik zie Mirjam al voor me, helemaal in het gips. Hangend om de schouder van Stefan, die bezwijkt onder haar zware gewicht. De muziek die uitvalt en alle mensen die roepen en schelden. Met een glimlach op mijn gezicht val ik in slaap.

Edwin

Stefan kijkt niet op of om als ik aan de ontbijttafel ga zitten. Zijn haren hangen half voor zijn ogen en hij kauwt nijdig op zijn boterham. Gisteren heeft hij de hele dag niets gezegd. Ik ben blij dat ik weer naar school kan.

'Goedemorgen,' mompel ik. Niemand antwoordt. Mama en papa kijken me onderzoekend aan.

'Nog even over zaterdagavond,' begint papa. 'Je had Mirjam nooit mogen slaan.'

Ik knik en smeer een boterham voor tussen de middag. Ik ga met Roosmarijn mee naar celloles. Dan ontloop ik mijn ouders en Stefan tenminste.

'Luister je wel?' Papa pakt mijn bord af.

Ik trek het bord nijdig terug. 'Laat me met rust.'

'Doe eens even normaal,' roept papa en hij wordt rood. Zijn ronde brilletje valt haast van zijn hoofd.

'Geef haar huisarrest,' roept Stefan. Waar bemoeit dat joch zich mee? Hij denkt alles beter te weten omdat hij toevallig eerder geboren is.

'Misschien is dat wel een goed idee.' Papa staat op en pakt zijn tas. 'Doeg, lieverd.' Hij geeft mijn moeder een zoen en loopt kwaad de kamer uit.

Huisarrest? Ik dacht dat mensen dat tegenwoordig niet meer kregen. Poe. Ze doen maar, ik kom heus het huis wel uit.

Nijdig stop ik het brood in mijn tas. De eerste twee uur heb ik Engels van Carolien. Ze zal wel weer vragen waarom ik zo chagrijnig kijk.

Het schoolplein is al leeg. Shit, nu kom ik weer te laat. Ik zet snel mijn fiets op slot. Het sleuteltje valt in de modder en ik moet over mijn fiets heen hangen om het te pakken. Met ijskoude vingers probeer ik het beugelslot open te maken. Waarom werkt dat rotding nou niet mee?

Ik blaas mijn handen warm en probeer het nog een keer. Dit keer geeft het slot mee. Ik maak de beugel aan mijn fiets en het rek vast.

Als ik de fietsenkelder uit ren, bots ik tegen iemand op. Ik wil het op een schelden zetten, maar zie dan dat het Edwin is. *Wacht jij maar!! Edwin.* Mijn hart begint als een bezetene te kloppen. Hij strijkt door zijn blonde haren en kijkt me strak aan.

'Sofie,' zegt hij koeltjes.

Ik probeer langs hem heen naar de ingang te rennen. Edwin pakt me bij één arm beet. 'Alles goed, Sofie?'

De manier waarop hij mijn naam uitspreekt bezorgt me koude rillingen. Alsof hij echt een plan heeft om me te pakken. Ja, natuurlijk heeft hij dat. Waarom schreef hij anders dat stukje in mijn agenda?

'Ja, prima.'

'Ook met, eh, Tygo heet hij toch?'

Ik knik en wil hem opzij duwen. Edwins hand sluit zich vaster om mijn bovenarm. Het doet bijna pijn, zo hard knijpt hij.

'Laat me los.'

'Geef antwoord, Sofie.'

'Alles gaat goed met Tygo. Au, je doet me pijn.'

Edwin grijnst en laat dan los. Hij steekt een sigaret op en ik ren de school in. Voor het lokaal wacht ik nog een paar minuten. Als mijn ademhaling rustig is stap ik naar binnen. Carolien kijkt me geërgerd aan, maar laat me toch doorlopen. Roosmarijn schudt lachend haar hoofd. ‘Leer eens klokkijken, Soof!’

Ik kan er niet om lachen. Met een strak gezicht pak ik mijn Engelse boeken. Even later komt Edwin binnen. Hij krijgt een frons van Carolien, maar verder niet.

‘Gaat het wel na zaterdagavond?’ vraagt Roosmarijn zachtjes.

Carolien kijkt aandachtig onze kant op. Ze heeft het altijd in de gaten als er iets is.

‘Ja, prima. Ik heb huisarrest.’

Roosmarijns mond valt open. ‘Huisarrest? Omdat je Mirjam hebt geslagen?’

Ik neem de Engelse zinnen van het bord over. Roosmarijn hangt nu helemaal over haar tafel heen. ‘Kan je dan wel mee naar celloles?’

Ik knik en laat mijn handen zien. ‘Kijk, geen handboeien. Ik ben een vrij mens.’

Roosmarijn geeft grinnikend haar schrift aan mij. ‘Hier, de antwoorden van het huiswerk.’

Dankbaar schrijf ik alles over. Dat scheelt me vanavond weer ploeteren.

Carolien staat nu ineens naast mijn tafel. ‘Sofie?’

Ik kijk haar met een knalrood hoofd aan. Ik schaam me altijd tegenover Carolien als ik haar bedrieg. Zij heeft altijd zoveel begrip voor me.

‘Wat is dít?’

‘Sorry.’ Ik kijk naar de grond. ‘Ik kan het niet.’

Carolien schudt haar hoofd. ‘Dan moet je uitleg vragen, Sofie. En niet aan je buurvrouw, maar aan míj.’

Ze heeft gelijk. Zoals altijd.

‘Kom maar in de keuzewerktijd langs, dan leg ik je alles uit. Goed?’

Ik knik dankbaar en ze gaat weer achter haar bureau zitten.

‘Oei,’ fluistert Roosmarijn. ‘Dat scheelde niet veel.’

‘Gelukkig is ze niet boos.’ Ik kijk naar Carolien, die achter haar bureau toetsen nakijkt. Ik mag haar echt graag.

‘Ik kwam Edwin tegen.’

Roosmarijn kijkt op. ‘Dat is niet zo vreemd, hij zit hier op school.’

‘Ja, dat is waar,’ mompel ik. Ik kan haar niet uitleggen waarom ik zo bang ben voor hem.

‘Waar dan?’

‘Bij de fietsenkelder. Hij stond er toen ik naar buiten kwam.’

‘Heeft hij nog iets gezegd?’

‘Nee, dat niet.’

‘Nou dan.’

Ik probeer haar een hint te geven. ‘Hij is pisnijdig op mij. Dankzij mij mocht hij een paar weken lang het schoolplein vegen.’

Waarom zeg ik niet gewoon wat er echt is gebeurd? Dat ik bang ben dat Edwin weer iets met me uithaalt? Misschien omdat Roosmarijn mij ook niet in vertrouwen neemt?

‘Je bent toch niet bang voor hem, hè?’ vraagt Roosmarijn verder.

‘Nee, natuurlijk niet,’ lieg ik.

‘Is het nou afgelopen?’ Carolien komt naar ons toe. ‘Waar hebben jullie het de hele dag over? Wat kan er niet wachten tot de pauze?’

Ik zoek hulp bij Roosmarijn, maar die verbergt haar rode kop achter haar boek. We kunnen toch ook niet vertellen over Edwin als hij twee banken vóór ons zit.

‘Het is eh…’ zeg ik stotterend.

Carolien tikt ongeduldig op de tafel. Het irriteert me en bezorgt me een totale black-out.

‘We hadden het over gisteren,’ zegt Roosmarijn ineens. ‘Sofie heeft de vriendin van haar broer tegen de vlakte geslagen.’

Justin, aan de andere kant van de klas, steekt zijn vuist in de lucht. ‘*You go girl!*’

Ik moet zachtjes lachen. Carolien vindt het verre van grappig. ‘Blijf in de pauze maar even hier,’ zegt ze met een ijskoude stem.

Dank je wel Roosmarijn, denk ik wanneer iedereen de gang op loopt. Nu kan ik uit gaan leggen dat ik jaloers ben op de vriendin van mijn broer. Ik pak mijn tas en ga aan het bureau van Carolien zitten. ‘Vertel, wat is er?’ Ze legt al haar werk opzij, als teken dat ze echt luistert.

Verschillende antwoorden schieten door mijn hoofd. *Eerlijk zijn!* schreef Floor ooit tegen mij in haar e-mail. Maar wat heeft Edwin nou precies gedaan? Hij heeft alleen gevraagd hoe het met me gaat, meer niet. Dat is toch niet strafbaar? En dat stukje in mijn agenda? Daar valt geen letter meer van te lezen. Bovendien wil ik niet zielig overkomen. Dit keer wil ik alles zelf oplossen, zonder Carolien.

‘Nou?’

Ik schud mijn hoofd. ‘Er is niets. Roosmarijn en ik waren gewoon aan het kletsen.’

Carolien schudt afkeurend haar hoofd. ‘Je hebt iemand geslagen.’

Oh, bedoelt ze dat? Ik vertel dat Stefan me had geslagen en dat ik wraak op hem nam in de discotheek. ‘Toen kwam Mirjam ertussen en die begon me te duwen. Toen verloor ik mijn geduld en gaf ik haar een klap.’

Carolien trekt één wenkbrauw op. ‘Zomaar?’

‘Zij duwde me.’ Die jaloezie blijft iets tussen Floor en

mij. Weer schudt Carolien haar hoofd. 'Sofie, je moet je leren beheersen. Mirjam mag dan misschien fout hebben gezeten, maar dat geeft jou niet het recht om geweld te gebruiken.'

Ze hebben allemaal gelijk. Ik had Mirjam nooit mogen slaan.

'Het spijt me,' zeg ik zachtjes.

Carolien lacht. 'Dat moet je tegen haar zeggen. Ik weet niet wat het is met jou de laatste tijd. Je doet vreemd. Ik ken je zo helemaal niet. Je verzwijgt toch niets voor me, hè?'

Ik schud snel mijn hoofd. Carolien kijkt me onderzoekend aan, maar pakt haar werk weer op. 'Goed, je kunt gaan.'

Ik kijk verbaasd op. Zonder straf, zonder verder verhoor? Normaal gesproken geeft Carolien het niet zo snel op.

Opgelucht vlucht ik naar de kantine. De pauze duurt nog een paar minuten.

'En?' roept Roosmarijn. 'Wat zei ze?'

'Niet veel. Ze vindt dat ik de laatste tijd anders ben dan normaal.'

Roosmarijn lacht. 'Dat is ook wel waar. Vroeger had je nooit iemand durven slaan.'

Roosmarijns zogenaamde mensenkennis irriteert me. 'Alsof jij mij al zo lang kent. Ik heb vorig jaar Pancake nog geslagen.'

'Nou, sorry hoor,' roept Roosmarijn beledigd en ze gaat naast Ellen zitten. Waarom doe ik zo kattig tegen haar? Komt het omdat Ger mij niet vertrouwt? Ik vraag me nog steeds af waarom hij niet wilde dat zijn dochter met mij de stad in ging. Denkt hij soms dat ik agressief ben?

Ik snap er niets meer van. Of komt het doordat Roosmarijn niet eerlijk tegen me is? Ik twijfel steeds meer aan haar gevoelens voor mij. Zou ze me wel als vriendin beschouwen? Of kan ze niemand anders krijgen? We zijn wel een beetje tot elkaar veroordeeld en dat steekt. Ik heb er nooit zo'n moeite mee gehad, maar nu Roosmarijn zo vreemd doet begint het me op te vallen.

'Hé!' Tygo slaat twee armen om me heen. 'Ben ik veilig voor jouw rechtse?'

Ik glimlach flauwtjes. Hij snapte niets van mijn agressieve gedrag. Waarom zou hij? Kon ik hem maar zeggen waar ik mee zit. Maar hij zou het meteen als kritiek opvatten en zich beledigd voelen. Het komt gewoon door mij dat het niet goed gaat tussen ons.

'Is het weer goed tussen jou en Stefan?' vraagt hij terwijl hij me in mijn nek zoent.

'Nee, natuurlijk niet. Stefan is kwaad.'

'Vreemd, hoor,' vindt Tygo. 'Hij kan wel overdrijven.'

'Vind je? Ik heb wel zijn vriendin geslagen!'

'En daar heb je spijt van.'

'Nou en? Dat maakt Stefan niets uit.'

Tygo zoent me op mijn mond. 'Het komt wel goed.'

Hij moet niet zo lief doen, dat maakt het nog moeilijker.

Roosmarijn tikt me op mijn schouder. 'Daar is Edwin.'

Ik draai me met een ruk om. Daar staat hij. Aan de andere kant van de kantine. Hij kijkt verveeld rond met een dampend bekertje in zijn hand. Dan komt hij onze kant op.

'Tygo,' zegt hij hartelijk en hij steekt zijn hand uit. Tygo gaat voor me staan alsof hij me wil beschermen. Edwin trekt zijn hand terug.

'Hoe durf je hier te komen?' sist Bella vol ingehouden woede.

'Staat je goed, die dreadlocks, maar dat steile haar was toch beter,' zegt Edwin uitdagend. 'Klootzak,' haalt Bella uit, maar Edwin negeert haar.

'En Roosmarijn,' gaat Edwin vrolijk verder. 'Nog altijd geen vriendje?'

Roosmarijn wordt knalrood. Edwin gaat te ver. Veel te ver.

'Edwin, rot op,' zeg ik met een ijskoude stem.

Edwin wendt zich tot mij en knalt zijn bekertje op tafel, zodat de hete koffie eroverheen gaat. Vlak naast de hand van Ellen, die een gilletje slaakt.

'Ik ga al, maak je geen zorgen,' lacht hij. 'Tot ziens.'

'De eikel,' fluistert Tygo. 'Waarom valt hij ons nog lastig? Wil hij soms weer het schoolplein gaan vegen?'

Aan het eind van de dag heb ik nog steeds een naar gevoel in mijn buik. Ik loop naar het Engelse lokaal waar Carolien zit te wachten. Ze pakt haar grammaticaboek en slaat het open. 'Ben je er klaar voor?'

Ik knik, terwijl ik zeker weet dat ik er nog lang niet klaar voor ben. Voor grammatica niet, maar al helemaal niet voor Edwin.

Roosmarijn fietst een stuk sneller dan normaal. Ik haal haar hijgend in. 'Sorry voor vanochtend,' zeg ik met een schuldig gezicht. 'Ik had nooit zo tegen jou mogen uitvallen. Je bedoelde het goed.'

Roosmarijn maakt een afwerend gebaar. 'Het is al goed.'

Het fijne van Roosmarijn is dat ze je altijd snel vergeeft.

'Zijn we er bijna?' vraag ik na een tijdje keihard doortrappen. Dat zal morgen wel spierpijn worden. Ik ben niet gewend om zo ver te fietsen. We zijn in een deel van de stad dat ik niet ken. Roosmarijn knikt en twee minuten later remt ze af. We staan voor een groot bakstenen gebouw met een zware, blauwe deur. 'Schiet nou op!' roept Roosmarijn als ik voor de tweede keer deze dag mijn fiets niet op slot krijg.

'Ja ja, ik doe mijn best.' Na veel gepriegel geeft het slot mee. Vanwaar die haast? We zijn toch keurig op tijd?

Binnen is het warm. Ik doe mijn sjaal af. We moeten helemaal naar boven. Na zes trappen kom ik buiten adem op de bovenste verdieping aan. Roosmarijn heeft nergens last van. Zij zeult haar loodzware cello rustig naar boven.

'Hoi, ik ben Robbert.' De celloleraar geeft mij een hand, die nat aanvoelt. Robbert is een vies mannetje, dat zie ik meteen. Hij heeft een zwetend baardje, draagt een blauw overhemd dat openhangt, en oude versleten slippers met dikke, gebreide sokken. Ik probeer mijn ogen van zijn borsthaar af te houden, maar mijn blik wordt er steeds naartoe getrokken. Hoe kan iemand zich nou zo kleden? Gelukkig begint Roosmarijns les en kan ik rustig gruwelen zonder dat het opvalt. Ze spelen een lang stuk van wel zeven minuten. Het klinkt prachtig. Dan stopt Robbert ineens en hij gaat naast Roosmarijn staan. Met zijn strijkstok tikt hij op haar bladmuziek. 'Kijk, dit moet je spelen!'

Als ik Roosmarijn was had ik mijn neus dichtgeknepen. Ik weet zeker dat Robbert naar zweet en vis ruikt.

Roosmarijn lacht vriendelijk en speelt het stuk nog een keer. Robbert tikt mee op de maat. Irritant.

'Nee! Nee! Nee!' Robbert gaat met een wild gebaar staan. Zijn strijkstok valt op de grond en hij wijst met een priemende vinger op het blaadje. 'Dit moet je spelen, je doet het telkens verkeerd.'

Ik schrik van zijn plotselinge woede-uitbarsting. Doen alle muziekdocenten zo?

Roosmarijn is het zeker gewend, ze kijkt alleen een beetje verdrietig. Ze wil het zo graag goed doen, en toch blijft die Robbert maar schelden. Als ze het nog een keer fout doet gooit hij de standaard om. 'Laat maar. Wat moet ik met jou?'

Nu vind ik het welletjes. Ik sta op. Verbaasd kijkt Roosmarijn me aan. Het hele uur heb ik stil gezeten, maar nu ben ik het zat. Ik laat mijn vriendin niet afzeiken door de eerste de beste cellozwerver.

'Doet u eens normaal,' roep ik boos.

Robbert kijkt me fronsend aan. Hij weet niets terug te zeggen.

'Ik meen het, hoor. U behandelt haar als grof vuil.'

Robbert komt dreigend op me af. 'Brutaal nest!'

Ik maak een goedkeurend gebaar. 'Poepoe. Dat is een mooi scheldwoord. Kom Roos, we gaan.'

Ik zie Roosmarijn naar mij seinen. Ga zitten! lijkt ze te bedoelen. Is zij dan niet kwaad op Robbert?

'Wat?' vraag ik hardop.

Roosmarijn legt haar cello op zijn zijkant en staat op. 'Sorry, Robbert. Neem ons niet kwalijk.'

Ze trekt me mee naar de gang en doet de deur achter zich dicht. 'Wat doe jij nou?'

Ik hoor aan haar stem dat ze moeite heeft om haar woede in te houden. Ik deed het anders wel voor haar.

'Je laat je toch niet zo afkatten?' vraag ik verbaasd.

'Hij is mijn leraar. Ik moet van hem leren. Je weet niet half hoe duur deze man is. Ik moet hem respecteren, Soof.'

Ik kijk naar de grond. 'Ik wil gewoon niet dat iemand jou pijn doet.'

Nu verschijnt er een glimlachje op Roosmarijns gezicht. 'Dat is lief, maar ik wil zo graag les van deze man. Wil je anders op de gang wachten? Ik ben zo klaar.'

Als Roosmarijn weer binnen is, ga ik op een bankje zitten. Ik koop een blikje koude sinas en houd het tegen mijn voorhoofd. Het is hier werkelijk om te stikken. Waarom doet die leraar zo vals en waarom pikt Roosmarijn dit? Ik moet glimlachen bij het idee dat Roosmarijn verliefd op hém is. Dat zou veel verklaren. Ik zou er ook niet voor uit durven komen als ik verliefd was op zo'n zwetende vijftiger.

Ik vind het moeilijk om Ger onder ogen te komen. Hij weet niet dat ik zijn gesprek met Roosmarijn heb gehoord.

We zitten aan het avondeten en ik prik in mijn boontjes. Eigenlijk heb ik geen honger. Mama heeft al tig keer op mijn mobiel gebeld en Stefan sms'te dat ik naar huis moest komen omdat ik huisarrest heb, maar ik antwoord niet. Zeker de hele avond alleen op mijn kamer zitten en nadenken over mijn zonden? Nee, dankjewel.

'Heb je geen honger?' Ger wil nog een keer opscheppen, maar ik houd mijn hand boven het bord.

Ik leun met mijn kin op mijn hand en kijk naar mijn vriendin, die nog zit te eten. Op wie is Roosmarijn verliefd? Wie is zo onbereikbaar dat ze het niet tegen haar beste vriendin durft te zeggen? Weet Ger het? Ze hebben een goede band samen, dus het zou me niets verbazen.

Als Roosmarijn in de keuken is om de toetjes klaar te maken probeer ik Ger uit te horen. 'Weet jij op wie Roosmarijn verliefd is?'

Ger begint te hoesten. Hij schudt zijn hoofd. 'Nee, dat wil ze niet zeggen. Hoezo? Weet jij iets?'

Ik schud mijn hoofd. 'Was het maar waar. Ik heb het al een aantal keren gevraagd, maar ze laat niets los. Ik weet alleen dat het een onbereikbaar persoon is.'

Ger knikt. 'Dat, eh, dat heb ik ook gehoord.'

Roosmarijn komt terug met de toetjes. Hopjesvla. Ze kijkt van Ger naar mij en gaat dan zitten. 'Waar hadden jullie het over?' vraagt ze achterdochtig.

'Nergens over, lieverd,' roept Ger, voordat ik iets kan zeggen. 'Lekker, hopjesvla!'

Volgens mij weet Ger maar al te goed wie de onbereikbare persoon is. Volgens mij mag hij niets zeggen van Roosmarijn.

Floor en Menno

Ik zit op een bankje op het grote plein en kijk zoekend om me heen. Floor stuurde gisteren een e-mailtje dat zij en Menno hiernaartoe komen. Die kans laat ik niet voorbijgaan. Menno heb ik al een halfjaar niet meer gezien, want hij was er niet toen ik bij Floor was. Ik ben benieuwd of hij er nog hetzelfde uitziet. Bella wilde mee. Op de foto vond ze hem een 'lekker ding' en nu wilde ze mijn vakantievriendje in het echt zien. Ik wist haar gelukkig van het idee af te praten. Ze zou alleen maar aan zijn lippen hangen en zichzelf totaal voor gek zetten. Misschien zou ze zelfs een opmerking over Floors figuur maken.

Waar blijven ze nou?

Dan voel ik ineens twee koude handen voor mijn gezicht. 'Floor!'

Als ik me omdraai kijk ik in het stralende gezicht van mijn vriendin. Ze heeft nog steeds dezelfde blonde haren en zelfs haar sproeten zijn niet verdwenen. Het doet me goed dat ze nauwelijks veranderd is. Ik voel me meteen op mijn gemak.

'Hoe lang zit je hier al?' vraagt ze.

'Een paar uur.'

Achter Floor staat Menno. Ik wist dat hij zou komen, maar nu ik hem zie bonkt mijn hart als een gek. Hij heeft zijn bruine nette haren in een warrig kapsel gekamd en zijn ogen lijken wel dieper en bruiner dan ooit. Ook zijn sproeten zijn nog steeds duidelijk zichtbaar, maar hij is iets langer geworden.

Hij komt op me af en geeft me drie zoenen. Ik weet niet wat ik moet zeggen. Floor kijkt ons grijnzend aan. 'Zullen we dan maar?'

'Dus alles gaat goed met je?' Menno stopt wat patatjes in zijn mond. Ik heb voor mezelf een grote hamburger met extra saus besteld. Floor neemt niks. Ze heeft geen honger, zegt ze, maar ik weet wel beter.

'Ja hoor. Ik ben laatst alleen Edwin tegen het lijf gelopen.'

Menno verslikt zich in een patatje en begint te hoesten. 'Die afperser?'

Ik lach. 'Ja, die.'

'Hebben ze hem niet van school getrapt?'

'Niet dus. Hij moest het plein vegen. En nu gaat hij wraak nemen, dat weet ik zeker.'

Floor pakt onder de tafel mijn hand vast. In mijn buik draait de hamburger een rondje om zijn as. Floor weet dat ik het er moeilijk mee heb. Zo stoer als ik het tegen Menno zeg, zo zwak voel ik me.

'Als hij iets doet, dan roep je mij maar!' Menno laat zijn vuisten zien. 'Ik bescherm je wel.'

Ik snap er niets van. Toen ik hem een tijd geleden vertelde dat ik geen relatie met hem wilde en voor Tygo koos, kon ik dood neervallen. Sindsdien heb ik alleen via Floor over hem gehoord. Soms deed ik hem de groeten en soms vertelde ik over Pancake en Edwin. Maar nu doet hij ineens alsof ik zijn grootste vriendin ben. Het maakt me blij, maar ook een beetje in de war.

'Hoe is het met Isabella?' vraag ik, terwijl ik mijn cola opslurp.

Menno begint stralend te vertellen: 'Heel goed. We zijn weer helemaal verliefd. Ik snap niet dat ik haar ooit heb laten vallen.'

‘Voor iemand zoals ik?’

Menno lacht. ‘Nee, dat bedoelde ik niet.’

Zodra hij naar me lacht gaat er een tinteling door mijn lichaam. Om zijn lieve blik te ontwijken zeg ik dat ik naar de wc moet.

Terwijl ik mijn handen sta te wassen, probeer ik genoeg moed te verzamelen om terug te gaan. Waarom voel ik toch altijd die vlinders als ik bij Menno in de buurt ben? Waarom bekijk ik zijn foto nog? Ik heb toch voor Tygo gekozen, een tijd geleden? Ik kwel mezelf alleen maar.

Floor komt binnen en trekt de deur achter zich dicht. Ze legt een hand op mijn schouder. ‘Wat is er toch met je? Elke keer als Menno naar je kijkt, krijg je een kleur!’

‘Niet waar.’ Sorry, Floor, ik moet wel liegen.

‘Wel waar, je bent verliefd.’

Ik kijk haar aan. ‘Verliefd?’

Floor knikt. ‘Je hebt voor Tygo gekozen omdat hij veilig leek. Lekker bij jou in de buurt. Maar zo ben jij niet, Soof. Je bent verliefd op Menno. En het wordt tijd dat je dat toegeeft. Voor jezelf en voor Tygo. Die arme jongen weet van niets!’

Het komt me ineens te dichtbij. Floor, Menno, Tygo. Ik schud mijn hoofd en draai de kraan dicht. ‘Je zit ernaast, Floor. Ik ben verliefd op Tygo.’

Ik kijk naar het glas sinas dat voor mijn neus staat. Ik ben alleen thuis. Papa en mama zijn uit en Stefan zit bij Mirjam. Hij is nog steeds kwaad op mij. Mirjam had volgens hem mazzel dat ze geen hersenletsel had. Wat een aansteller!

Ik zucht diep en neem een slok. Mijn gedachten dwalen af naar vanmiddag. We hebben de hele stad gezien, alle winkels, alle pleintjes en alle mensen. Ik was doodmoe toen Menno en Floor eindelijk opstapten. Ik heb hen naar de trein gebracht en nu zitten ze vast alweer thuis. Toen Floor in de wc over Menno begon was ik geschokt. Floor zegt nooit zomaar iets. Ze heeft tot nu toe altijd gelijk gehad. Het zou wel een hoop verklaren. De gevoelens in mijn buik, maar ook de manier waarop ik naar Tygo kijk. En ook hoe ik naar Bruno kijk. Toen we bij het concert waren leek ik hem haast leuker te vinden dan Tygo. Ik was toe aan een avontuur, zo voelde het. Als Tygo begint over trouwen voel ik me schuldig. Hij houdt zo vreselijk veel van mij, maar kan ik hem hetzelfde teruggeven? Waarom ben ik jaloers op Stefan en Mirjam? Vreselijk.

Ik schrik op van de deurbel. Wie kan dat nou zijn? Als ik naar buiten kijk zie ik Tygo staan. Ik aarzel even, maar hij heeft me al gezien.

'Wat kom je doen?' vraag ik verbaasd als ik opendoe.

Tygo geeft me een zoen en duwt me naar binnen. Daar pakt hij me vast. Hij bedoelt het lief, maar dit is het verkeerde moment. Ik moet nadenken. Dat gaat niet als hij in mijn buurt is. Daarom duw ik hem een beetje van me af.

'Hé lieverd, ik heb je gemist. Waar was je de hele dag? Ik heb je wel tien keer proberen te bellen.'

Stom! Ik had mijn mobieltje uitstaan. 'Sorry, ik was de stad in.'

'Met wie?'

'Floor.' Waarom zeg ik niet wie er nog meer bij was?

Tygo lijkt me goed genoeg te kennen. 'En Menno zeker?'

Ik knik en wurm me los uit zijn greep. Ik schenk een tweede glas sinas in en geef het aan hem. Tygo kijkt me stomverbaasd aan. 'Wat is dat toch met die jongen? Elke keer als het over hem gaat, krijg je het benauwd en begin je over iets anders.'

Ik probeer zijn blik te ontwijken, maar Tygo pakt mijn schouders. 'Ik heb recht op de waarheid, Soof. Wat is er aan de hand? Ben je verliefd op hem?'

'Nee!' Waarom gelooft niemand mij? Waarom moest Floor hierover beginnen? Ze heeft me helemaal in de war gebracht. Ik moet Tygo ervan overtuigen dat ik het meen, anders ben ik hem kwijt!

'Tygo, alsjeblieft. Je weet toch hoe ik over hem denk? Hij is verleden tijd. Ik hou van jou.'

Tygo kijkt me onderzoekend aan. Langzaam verschijnt de grijns die hij altijd krijgt als hij een plan heeft.

'Ben je alleen thuis?' vraagt hij.

Ik grijns nu ook. Als papa ons zou zien staan, zou hij spontaan een hartaanval krijgen of met borden gaan gooien.

'Hélemaal alleen.'

Tygo duwt me zachtjes naar de woonkamer. Hij legt me op de bank en gaat op me liggen. Zodra hij me zoent vergeet ik alles.

'Je moest maar eens gaan.' Ik duw Tygo zachtjes van me af. Mijn blouse staat half open. Op dat moment gebeurt waar ik bang voor was. Ineens staan papa en mama in de kamer. In een paar seconden staan we naast de bank. Tygo is knalrood en groet mijn ouders beleefd.

Mama pakt me bij mijn bovenarm. 'Sofie!' roept ze verontwaardigd. 'Hoe kún je?'

Ik kijk hen verbaasd aan. Ik snap dat ze kwaad zijn, maar zo erg is het toch ook weer niet? We deden toch niets?

‘Eruit, jongeman! Nu meteen.’ Papa duwt Tygo naar de buitendeur.

‘Pap, doe normaal!’ Ik pak Tygo bij zijn arm en probeer hem tegen te houden.

Papa wordt vuurrood en kijkt me kwaad aan. ‘Zodra wij even weg zijn, nodig jij de eerste de beste kneus uit om het bed mee te delen?’ roept hij laaiend. ‘Hoe kun je dat nou doen? Hoe oud ben je nou helemaal?’

Ik moet me inhouden om niet in de lach te schieten. Dus ze denken dat ik met Tygo naar bed ben geweest?

‘We hebben alleen maar wat liggen zoenen.’

‘Liggen zoenen?’ roept papa. ‘Heet dat tegenwoordig zo? Nou, wij noemen dat gewoon neuken.’

‘Theo!’ Mama wordt rood. Niet van woede, maar van schaamte. Het is ook een belachelijke situatie. Tygo en ik hebben alleen maar wat liggen zoenen op de bank en toen knoopte hij mijn blouse wat los. We waren echt niet van plan om verder te gaan. ‘Papa, er is echt niets gebeurd. Ik zweer het je.’

Tygo kijkt angstig naar papa, die nu paars ziet. De aderen bij zijn slapen zijn opgezwollen en hij ziet er agressief uit.

‘Eruit, jongen! Nu.’

Ik geef Tygo een snelle zoen op zijn wang. ‘Ik bel je.’

Als de deur met een klap achter hem dichtvalt, storm ik naar boven. ‘Hé, ik ben nog niet klaar met jou,’ roept mijn vader, maar ik gooi mijn kamerdeur met een klap dicht.

Van: Sofie Berger
Aan: Floor van de Heide
Subject: gesnapt

Lieve Floor,

Ik heb zojuist de meest gênante situatie ooit meegemaakt. Ik lag met Tygo op de bank wat te zoenen en toen kwamen mijn ouders ineens thuis. Zij dachten dat we seks hadden gehad en ze waren laaiend. (En dan druk ik me nog voorzichtig uit.)
Waarom geloven ze me niet als ik zeg dat het niet zo is? Tygo weet dat hij moet wachten tot ik er klaar voor ben.

Toen ik laatst met Roosmarijn mee naar celloles was gegaan waren ze ook al kwaad. Huisarrest, wat een onzin. Stefan heeft me nog steeds niet vergeven dat ik Mirjam heb geslagen.
Mijn ouders wisten ook niet dat ik vanmiddag met jullie op stap was. Anders hadden ze me nooit laten gaan.
Nog even over vanmiddag, ik ben echt niet verliefd op jouw broertje. Ik mag hem graag, meer niet. Hij heeft bovendien een vriendin en daar wil ik niet tussen komen.

Liefs, kus
Sofie

Van: Floor van de Heide
Aan: Sofie Berger
Subject: Oei

Lieve Sofie,

Oei, dat is inderdaad behoorlijk gênant. Ik kan me goed voorstellen dat je ouders dachten dat jullie meer deden dan zoenen, maar dat ze er zo kwaad om worden is belachelijk. Ik bedoel, je kent hem al een jaar, dan mag je toch wel verder gaan?
Tussen mij en Manuel ligt dat een stuk ingewikkelder. Ik schaam me dood om met hem in één bed te liggen. Daarom zijn we nog niet met elkaar naar bed geweest, hopelijk durf ik dat binnenkort wel.

Ik wil je niet aan het schrikken maken, maar het gaat de laatste tijd echt slecht met mij. Ik ben ontzettend aan het afvallen en ik eet steeds minder. Ik stop alles in het laatje onder onze eettafel, en dan gooi ik het na het eten weg. Ik weet dat het slecht is, maar ik kan er niet mee ophouden. Je merkte vanmiddag natuurlijk ook dat ik niets nam.
Toen ik laatst mijn nichtje zag, die ook anorexia heeft (zij zit in een kliniek), schrok ik heel erg. Zij is zo ontzettend dun. Je kunt haast door haar heen kijken. Ik zie mezelf daar al zitten over een paar jaar. Ik kreeg het ineens zo benauwd dat ik flauwviel. Midden in die zaal. Ik viel niet eens op, iedereen valt daar flauw. Als je zo weinig eet heb je nauwelijks energie. Ik hoorde een verhaal van een meisje daar, haast niet te geloven. Je leert daar in één seconde over te geven, zodat de verpleegsters het niet zien. In de plantenbak of op de wc. Ik was helemaal

van slag na het bezoek. Mijn moeder was heel bezorgd, maar ik kan er met niemand over praten. Soms bespreek ik het met Manuel, maar dat vind ik moeilijk. Ik schaam me tegenover hem. Waarom wil hij iets met mij? Ik ben toch maar een probleemkind. Jij bent de enige met wie ik erover kan praten, Soof. Help me, ik weet niet hoe lang ik dit nog volhoud.

Kus, hvj
Floor

Ik zit verslagen achter de computer. Als Floor dichterbij woonde was ik nu op de fiets gesprongen. Waarom heeft ze dit niet eerder gezegd? Dan hadden we er vanmiddag over kunnen praten. Nu moet ik wachten tot de auditie. Ze heeft me nodig, maar ik kan er niet voor haar zijn. Ik kan nu geen arm om haar heen slaan of haar stevig vasthouden. Met een snelle beweging klik ik op 'beantwoorden'.

Van: Sofie Berger
Aan: Floor van de Heide
Subject: ....

Lieve Floor,

Ik weet niet wat ik moet zeggen. Wat kan ik doen om jou te helpen? Ik ben geen psycholoog.
Ik schrok van jouw e-mailtje. Normaal ben je altijd zo sterk en zo zelfverzekerd. Als jij het niet meer ziet zitten, dan doet niemand dat. Onthoud dat ik om je geef, meer dan om wie dan ook. Ik kan je nu niet bellen, want mijn moeder hangt al de hele dag met mijn tante aan de lijn.

Je mag niet instorten, Floor! Houd je hoofd omhoog. Ik moet ineens denken aan wat jij vorig jaar tegen míj zei: *Don't let your hair hang down, and kick some ass!* Laat zien wie je bent en toon dat je de hele wereld aankan! Zo denk ik erover. Kom op, Floor. Jij bent te sterk om het op te geven!

Kus, Sofie

Zou het helpen? Ik lees de e-mail nog een paar keer over en verstuur hem dan. Daarna pak ik de foto van Floor die op vakantie is gemaakt. We staan met onze armen om elkaar heen. Ze is vreselijk bruin en draagt een knalgeel hemdje. Ze lacht stralend, zoals alleen zij dat kan. Waarom gaat het nu zo slecht met haar? Het is niet eerlijk. Zoveel mensen verdienen het om zich rot te voelen, maar uitgerekend haar overkomt het. Zij moet een leuk leven hebben. Ze weet altijd raad als ik ergens mee zit, maar zichzelf helpen kan ze niet. Als ik haar e-mail opnieuw lees stel ik me voor hoe zij op haar bed zit met haar hoofd in haar handen. De tranen stromen over haar wangen en ze bijt op haar lip. Ze zal honger hebben, maar dat gevoel vindt ze heerlijk, dat heeft ze zelf tegen me gezegd. Volzitten is voor haar het ergste gevoel dat er is.

De opdracht

Ik zit in het lokaal van Nederlands. Naast me zit Roosmarijn aan haar krullen te draaien. Ze heeft gelukkig nog niks gezegd over mijn uiterlijk. Ik heb vannacht nauwelijks geslapen. Het e-mailtje van Floor bleef maar door mijn hoofd spoken. Wat kan ik doen?

De wallen onder mijn ogen zijn enorm en mijn haren willen niet in model vandaag. Tygo wil vanmiddag weer eens iets leuks gaan doen, maar ik heb nergens zin in.

'Vandaag krijgen jullie huiswerk mee.' De leraar pakt een stapel papier van zijn tafel.

De hele klas zucht. Justin staat op. 'Meneer, we hebben al zoveel huiswerk... Alstublieft!'

De leraar grijnst breed en houdt de stapel omhoog. 'Maar dit is anders, jullie vinden het een leuke opdracht. Bovendien is het leerzaam. Ik ben ook benieuwd naar wat jullie ervan maken.'

Het zal weer eens niet. Die man geeft altijd huiswerk op. Ik heb een hekel aan leraren die denken dat hun vak het enige is wat leerlingen hoeven te doen.

Ik heb morgen een filosofietoets, wanneer moet ik die dan leren? Tygo zal het niet leuk vinden als ik onze afspraak van vanmiddag afzeg. Misschien gaat hij dan nog meer twijfelen over ons en dat kan ik nu niet gebruiken.

'Kom je die opdracht vanmiddag bij mij maken? Dan leg ik je meteen filosofie uit,' zegt Roosmarijn.

'Ik heb afgesproken met Tygo.'

Roosmarijns gezicht betrekt zodra ik zijn naam noem. 'O.'

Wat is dat toch met Tygo en Roosmarijn? Ze mogen elkaar echt niet en ik begrijp nog steeds niet waarom. Maar het aanbod dat ze net deed klonk wel aanlokkelijk. Misschien snap ik die vervelende Kant dan eindelijk. 'Ik zeg hem af, ik moet een voldoende halen morgen.'

Roosmarijn knikt blij. Ze pakt twee blaadjes van de leraar aan en geeft er een aan mij.

OPDRACHT

Schrijf een opstel van maximaal een half A4'tje over jouw angsten. Waar ben je écht bang voor? Wanneer lopen de koude rillingen over jouw rug? Probeer er een serieus, goedlopend verhaal van te maken. Ik geef punten voor het verloop, de grammatica en het onderwerp. Er valt maximaal een 10 te halen.
Deze opdracht maakt onderdeel uit van je schrijfdossier, dus besteed er genoeg aandacht aan.
Succes!

Ik kijk nog eens goed, maar het staat er echt. Angsten? Wat bedoelt die man? Ik ben bang voor spinnen, maar is dat een goed onderwerp? Daar kan ik geen half blaadje over volschrijven! Overal om me heen hoor ik zuchten en steunen. Justin vormt een prop van zijn blaadje en mikt het in de prullenbak. 'Ik ben bang voor missers bij basketbal, maar dat is nergens voor nodig.'

De leraar vindt het niet grappig. 'Justin, doe normaal en haal dat papier uit de prullenbak.'

'Angsten?' vraagt Ger als hij de opdracht heeft gelezen. 'Wat moet ik me daarbij voorstellen?'

'Spinnen, achtbanen, rupsen, hoogtes en leraren.'

Ger lacht. Hij pakt een boek uit de kast en begint te bladeren. Er staan oude foto's in.

Roosmarijn wil me meesleuren. 'Kom, Soof. We gaan naar mijn kamer.'

Ger steekt zijn hand op. 'Wacht eens. Waar is ze nou? Aha, hier!' Hij houdt het boek omhoog en daar, in het midden van de pagina, staat een foto van een ontzettend lelijke meid. Ze heeft een grote haakneus en een pruilmond waar Jansen van ANW jaloers op zou zijn.

'Wie is dat?' vraag ik vol walging.

Ger lacht. 'Dit was mijn angst!'

Roosmarijn lacht nu ook. 'Hoe heet ze? Of moet ik zeggen: hij?'

'Ze heette Esmeralda van Nimwegen. Ze zat in hetzelfde jaar als ik. De hele school wist dat ze verliefd op me was, maar ik vond haar niets. Ze was zo iemand die snoep afpakt van de jongere leerlingen. Tijdens het schoolfeest stond ik aan de bar te hopen dat Klaartje, mijn geheime liefde, me ten dans zou vragen. Zelf durfde ik niet. Mijn vrienden probeerden haar te seinen, maar ze zag het niet. Esmeralda wel. Ze kwam op me af en trok me de dansvloer op. Ik wist niet hoe ik het had. Ik probeerde me los te rukken, maar het gevolg was dat ze me nog dichter tegen zich aan drukte. Mijn vrienden lachten zich rot. Toen gebeurde het: tijdens het tweede nummer pakte ze me beet en zoende ze me. Ik voelde haar tong in mijn mond binnendringen als een kleffe lap vlees. Ik duwde haar van me af, maar ze liet niet los. "Ik hou van je, Gerretje," kwijlde ze ook nog. Toen ik me eindelijk los kon rukken, vluchtte ik naar de wc. Ik heb me nog nooit zo beroerd gevoeld. Toen ik kotsend boven de jongens-wc hing kwam Klaartje binnen. Ze was me gevolgd en legde een hand op mijn schouder. "Gaat het?" vroeg ze.

"Nee!" zei ik. Ik voelde me vreselijk. Ze bleef bij me tot

ik me beter voelde. Ik heb wel tien keer mijn mond gespoeld. "Weet je, Ger?" zei ze ineens. Ze pakte me beet en wreef door mijn haren, die zeiknat waren van het water. "Ik ben verliefd op je." En daar zoende ze me, op mijn mond, misschien wel een minuut lang. Daarna liepen we hand in hand de zaal weer in. Jullie hadden de gezichten van mijn vrienden moeten zien. Ze stonden ons met open mond aan te gapen. Ik was op één avond door de lelijkste en de mooiste meid gezoend.'

Roosmarijn en ik moeten lachen als Ger uitverteld is. Hij kijkt nog steeds dromerig voor zich uit. 'En wie is die Klaartje?' vraag ik.

'Dat is Roosmarijns moeder!' roept Ger. 'De mooiste vrouw van de hele wereld.'

Ik zie Roosmarijn pijnlijk glimlachen als Ger het over haar gestorven moeder heeft. Zie je wel dat ze er nog lang niet overheen is. Ze mist haar moeder vreselijk. Dat kan ze niet langer meer ontkennen.

'Kom, Soof. We gaan naar mijn kamer.'

Ger klapt het boek dicht. 'Ik breng jullie wat drinken en lekkers.'

Roosmarijn slaat haar deur met een klap dicht. Ze zet de computer aan en gaat erachter zitten.

'Gaat het wel?' vraag ik voorzichtig. Roosmarijn veegt met een kwaad gezicht over haar wangen. 'Prima.' Ze rammelt het beeldscherm door elkaar als de computer niet snel genoeg opstart. Dit is niks voor haar. Normaal is Roosmarijn de rust zelf.

Ik pak haar schouder beet en draai haar stoel om. 'Roos, vertel me nou wat er is. Alsjeblieft. Ik wil je helpen.'

Even denk ik dat ze me gaat slaan, maar dan begint ze te huilen. Haar schouders schokken en ik voel ook tranen opkomen. Ik kan er niet tegen als ik vriendinnen zie huilen.

'Ik mis haar zo!'

Ik druk een trillende Roosmarijn tegen me aan. Voorzichtig wrijf ik met een hand over haar rug. Ik voel me machteloos, bijna even machteloos als tegenover Floor. Ik weet gewoon niet hoe ik dit soort dingen aan moet pakken. Waarom leren we dit niet op school in plaats van het verloop van de Tweede Wereldoorlog?

'Waarom praat je er niet over?' vraag ik. 'Anders weet ik ook niet hoe je je voelt.'

Roosmarijn snikt. 'Ik vind het zo moeilijk! Soms word ik 's nachts wakker en dan denk ik haar te horen. Dan stap ik uit bed en ga ik naar de keuken. Die is natuurlijk leeg en dan word ik zo bang. Alsof ik alleen op de wereld ben. Dan ren ik naar mijn moeders werkkamer en kijk om de hoek. Niemand. Ik ben dan zo bang, Soof. Zo ontzettend bang.'

Ik snap het, maar hoe maak ik dat duidelijk?

Dan vliegt de deur open. Ger staat op de overloop met een theeblad in zijn handen. Zijn gezicht betrekt als hij Roosmarijn ziet. 'Lieverd, wat is er?'

Hij duwt me het blad in handen en trekt zijn dochter tegen zich aan. 'Wat is er?'

Roosmarijn snikt nogmaals en kijkt angstig naar mij. 'Het is niet wat je denkt. Het is mama.'

Niet wat hij denkt? Wat denkt Ger dan? Zou er nog iets zijn? Waar ik niets vanaf weet? Het geheim van Roosmarijn, schiet het door mijn hoofd. Maar voor ik er verder over na kan denken ben ik alweer in de realiteit. Ger geeft zijn dochter een zoen. 'Nou, dan ga ik maar. Dag, meisjes.'

Wat is er aan de hand tussen die twee? Ze doen zo geheimzinnig.

Ik pak mijn thee en geef het andere glas aan Roosmarijn. 'Gaat het weer een beetje?' vraag ik. Roosmarijn knikt dankbaar. 'Je bent lief, Soof.'

Ik word rood en kijk naar beneden. 'Niet zeggen!' giechel ik.

'Ik zeg het zo vaak als ik zelf wil,' roept Roosmarijn blozend en ze buigt zich voorover om me een zoen te geven.

Ik blijf niet bij Roosmarijn eten. Thuis begint de sfeer weer wat beter te worden. Dat wil ik zo houden. Onderweg naar huis denk ik na over vanmiddag. Tygo was gelukkig niet kwaad. Dat verbaasde me, want hij is nogal jaloers ingesteld. Voor hetzelfde geld dacht hij dat ik naar Menno ging. Of nog erger: met Bruno naar de bioscoop. Ik lach zachtjes in mezelf. Wat kunnen jongens toch ongelooflijk stom zijn. Ben je verliefd op ze en gaan ze nog zeuren dat je te veel naar hun beste vriend kijkt. Maar Tygo snapte wel dat ik wilde leren voor de toets. Het is een hartstikke ingewikkeld vak. Thuis kan niemand het me uitleggen. Papa en mama weten niets van filosofen. Laat staan van 'het transcendentalisme'. Roosmarijn gelukkig wel. Ze heeft een hele samenvatting voor me geschreven. Wat is het toch een schat. Ze mag alleen wat meer zelfvertrouwen krijgen. Volgens mij moet ze gewoon op haar liefde af stappen. Wie weigert haar nou?

Het is koud buiten, het lijkt elke dag meer winter. Ik blaas mijn handen een voor een warm. Ik heb nog steeds geen nieuwe handschoenen. Als ik niet oppas ga ik nog onderuit.

Dan voel ik ineens mijn mobieltje trillen in mijn zak. Vast mama, die vraagt waar ik ben.

‘Met Sofie,’ roep ik met een geïrriteerde stem als ik voorzichtig van de fiets stap.

‘Sofie?’ Aan de andere kant klinkt de bezorgde stem van Menno. Mijn hart maakt een sprongetje. Wat lief dat hij belt!

‘Sofie, je moet hierheen komen!’

Waarom is hij zo in paniek? ‘Is er iets gebeurd?’

‘Het is Floor. Ze ligt in het ziekenhuis. Ze vraagt naar je.’

Ik laat bijna de telefoon uit mijn hand vallen. In het ziekenhuis? De ergste beelden schieten door mijn hoofd. Floor aan het infuus, Floor in een doodskist.

‘Is het...’ vraag ik voorzichtig.

‘Nee, ze ligt niet in coma. Ik heb haar beloofd dat je komt.’

Ik knik. Natuurlijk kom ik, meteen.

‘Haal je me op van het station?’

‘Natuurlijk.’

Menno staat al op het perron te wachten als ik uitstap. Hij omhelst me en als hij me loslaat zie ik zijn ogen glinsteren. Wat is er in godsnaam gebeurd? Ik durf het niet te vragen. Ik hoor het straks wel in het ziekenhuis. Zo meteen maak ik hem nog aan het huilen.

We moeten een heel stuk met de bus. Het begint al donker te worden. Ik zit zwijgend tegenover Menno.

‘Belde ik ongelegen?’ vraagt hij ineens.

Ik kijk hem verbaasd aan. ‘Ongelegen? Jij belt nooit ongelegen!’

Menno knikt. ‘Gelukkig maar.’

Het is weer stil. Ik denk aan Roosmarijn, die vanmiddag zo moest huilen om haar overleden moeder. Zou ik ook moeten huilen als Floor...

Niet aan denken nu! Ik haal me weer allemaal rare ideeën in m'n hoofd. Ik weet niet eens wat er aan de hand is! Misschien is Floor wel gewoon gevallen en heeft ze een hersenschudding. Maar iets in mij zegt dat het ernstig is.

Gelukkig zijn we er, want ik voel me misselijk. We moeten met een lift naar de bovenste verdieping. 'Hier is het.' Menno opent de deur en ik hoor meteen een apparaat piepen. Het ziet eruit zoals in televisieseries. Een groot wit bed staat tegen de muur en daarin ligt Floor.

Naast het bed staan haar ouders, die allebei een hand van Floor vasthouden. Haar moeder is bijna even wit als de muur. Ik kom verlegen dichterbij. Haar ouders kijken op en begroeten me. 'Wat fijn dat je er bent. Floor, kijk eens?'

Floor opent langzaam haar ogen en kijkt me aan. Ik schrik me rot. Die ogen zijn niet van haar. Ze lijken wel rond te zwemmen in hun kassen. Ze doet ze ook meteen weer dicht. Ik kan zien dat ze zich schaamt.

'Wat is er gebeurd?' vraag ik voorzichtig.

Floors vader neemt me mee naar de gang en sluit zachtjes de deur achter zich. 'Floor heeft anorexia.' Hij wacht even op mijn reactie. Kennelijk denkt hij dat ik dat niet weet.

'Dat wist ik,' zeg ik zachtjes. 'Ik heb geprobeerd haar te helpen.'

Even kijkt Floors vader me verbaasd aan. Dan herstelt hij zich. 'Floors situatie is heel kritiek geweest. Ze had het niet gered als ik haar niet had gevonden. Ze lag op haar kamer, totaal uitgedroogd en uitgehongerd. Ze eet al maanden nauwelijks, maar ze weet het goed te verbergen. Sinds het bezoek aan haar nichtje is het allemaal veel erger geworden.' Hij slaat zijn handen voor zijn gezicht. 'Mijn kleine meisje. Waarom doet ze dit?'

Ik weet me geen raad met de situatie. Ik til mijn hand op, om op zijn schouder te leggen, maar dat voelt helemaal stom. Ik laat hem weer vallen. Gelukkig komt Menno nu ook de gang op en hij klopt zijn vader op zijn rug. 'Kom, laat Floor en Sofie maar even alleen.'

Ik kijk hem dankbaar aan als ik de kamer van Floor binnenga. Gelukkig gaan ze even weg. Ik móét Floor spreken.

Als ik de deur achter me dichttrek kijkt ze op. Ze schrikt als ze merkt dat ik alleen ben. Ze wil onder de deken kruipen, maar ik trek het laken weg. 'Je hoeft je niet te schamen.'

Deze zes woorden zijn een schot in de roos. Floor begint te huilen en ik huil mee. Ik kan het niet aanzien, Floor in dit grote bed, aan het infuus, met die vreemde ogen. Ik pak haar hand, die opvallend klein aanvoelt. Ik knijp er voorzichtig in. Het maakt haar rustiger. Ze veegt haar tranen weg en begint langzaam te vertellen. Doordat ze zo zwak is kost elk woord haar moeite.

'Ik weet niet meer wat er gebeurde, Soof. Ik zakte gistermorgen ineens in elkaar, op mijn kamer. Mijn vader heeft me gevonden, voor mijn gevoel uren later. Hij belde meteen de ambulance en die heeft me hierheen gebracht. Ik krijg nu eten via een slangetje. Afschuwelijk...'

Ze zucht en kijkt me even aan. Dan gaat ze moedig verder. 'Ze zijn bang dat ik mijn eten weer uit zal spugen. En dat wil ik ook. Ik wil geen eten. Het is... Als ik daar controle over heb, voel ik me gewoon beter. Nu verpesten ze mijn... mijn wedstrijd.'

'Wedstrijd?' Ik begrijp er niets van. Ligt Floor soms te ijlen?

‘Zo voelt het: als een wedstrijd tegen mezelf.’

Ik slik de brok in mijn keel door en buig me voorover om haar een zoen op haar voorhoofd te geven. Haar huid is plakkerig en warm.

‘Ik maak me zorgen om jou, Floor. Al een hele tijd. Dat snap je toch?’

Floor zwijgt. Ik weet ook niet meer wat ik moet zeggen. Dat het allemaal wel goed komt? Hoe kan dat nou? Het zou een beetje naïef zijn om te denken dat Floor het wel redt. Ze is verslaafd aan afvallen. Dat begrijp ik nu. Eten verstoppen is een sport voor haar. Ze kan niet eens meer haar buik rond eten, daar is haar maag te klein voor geworden. Ze moet stapje voor stapje weer gaan eten, maar is ze daar sterk genoeg voor?

‘Ik moet weer weg. Even mijn ouders bellen waar ik ben en dan kom ik nog even bij je kijken, goed?’ Ik wil Floors hand loslaten, maar ze pakt hem paniekerig vast. ‘Sofie. Ik... ik wil niet alleen zijn. Ga alsjeblieft niet weg!’

‘Waar is Manuel trouwens?’ vraag ik verbaasd. Moet hij niet bij zijn vriendinnetje zijn?

Floor kijkt naar de deken. ‘Die heeft het uitgemaakt. Hij kon het niet langer aanzien dat ik mezelf uithongerde.’

Ik kijk haar vol medelijden aan. Ze moet het voelen, want ze laat mijn hand meteen los. Medelijden is het laatste wat ze wil. ‘Ik ben terug voordat je het weet,’ zeg ik zachtjes. Als ik op de gang kom, gaan haar ouders en Menno weer naar binnen. Ik zak neer op een stoel en bel naar huis. Mama is helemaal overstuur.

‘Het ziekenhuis? Floor? Wat is er dan gebeurd?’

‘Dat vertel ik nog wel, maar ze wil dat ik bij haar blijf. Kun je morgenochtend school bellen dat ik een dagje wegblijf?’

'Maar lieverd, kun je dat wel aan?'

'Ja, het is niet ernstig. Bel je?'

'Ja, ik zal bellen. Sterkte hè?'

Ik drukte het nummer weg en stop mijn mobieltje in mijn zak. Als ik mama de waarheid had verteld dan was ze me nu op komen halen. En dat kan ik niet gebruiken, Floor heeft me nodig. Ik heb nog steeds dorst. Rommelend in mijn tas op zoek naar mijn portemonnee kom ik mijn opstel tegen. Ik heb het toch maar over spinnen geschreven. Het gaat nergens over en ik weet zeker dat het een onvoldoende wordt. Dat van Roosmarijn gaat over haar moeder. Ik kreeg tranen in mijn ogen toen ik het las. Ze heeft precies beschreven hoe ze zich voelde. De angst dat haar moeder iets zou overkomen. De angst toen het nog gebeurde ook. Dan frons ik mijn wenkbrauwen. Mijn opstel verdwijnt in een prullenbak. Ik pak een nieuw blaadje en een pen. Dat ik hier niet eerder aan heb gedacht! Ik begin als een gek te schrijven. De verpleegster biedt me wat te drinken aan, maar ik hoef niets meer. Ik blijf net zo lang schrijven tot ik tevreden ben. Dit moet het zijn!

Als ik voor de tweede keer vandaag bij Floor binnenkom zit ze ietsje overeind. Haar stralende glimlach is ver te zoeken. Ik ga op de rand van haar bed zitten en ik hou mijn opstel stevig vast, alsof dat mijn enige redding is in deze ellende. 'Hoe gaat het met je?' vraag ik knullig.

Floor schudt haar hoofd. Haar ogen vullen zich met tranen. 'Ik weet niet meer wat ik moet doen. Ik kom er nooit vanaf, Sofie. Ik wil nooit meer eten.'

'Je moet ermee stoppen, Floor. Het is gevaarlijk!'

'Ik kan het niet. Echt niet.'

'Lees dit verhaal, alsjeblieft.' Ik geef haar het opstel.

Floor kijkt me vermoeid aan. 'Wat is dit?'
'Mijn opstel voor school. Het moest over angsten gaan. Lees het.'
Floor begint te lezen. Ik kijk toe hoe haar ogen over het papier gaan. Ze leest langzaam, maar ik weet precies wat er staat en bij welke zin ze is.

Mijn grootste angst, groter dan welke angst ook, is dat iemand die me dierbaar is wat overkomt. Normaal gesproken hoef je daar niet bang voor te zijn, maar ik ben het wel. Floor, een vriendin met anorexia, is heel belangrijk voor mij. Ik kan alles met haar delen, en zij is er altijd voor mij. Zij geeft me advies als ik het even niet meer weet. Ik weet nog hoe ik haar ontmoette. We waren in Frankrijk op de camping en ik voelde me verdwaald tussen al die vreemde mensen. Al snel kwam Floor naar me toe en ze vroeg me van alles. Waar ik woonde, hoe ik heette. Ik wist ineens geen antwoorden op deze vragen. Alles leek zo ingewikkeld. Ik wilde koste wat het kost goed op haar overkomen. Ze leek belangrijker dan iedereen die ik al kende. Dankzij haar was het helemaal niet erg om van huis weg te zijn. Het deed me pijn toen ik haar moest achterlaten in Frankrijk. Zij zou een paar dagen later teruggaan naar Zutphen, waar ze woont. Ik zou haar misschien nooit meer zien. Maar telkens als ik haar sprak, aan de telefoon of over internet, dan voelde ze heel dichtbij. Dan kon ik haar alles vertellen en dan had ze overal een oplossing voor.

Maar wat nou als zij er niet meer is? Als haar ziekte haar lichaam overneemt en zij niet langer meer Floor is, maar een zwak meisje dat het niet meer weet? Zal ik kwaad op haar worden? Wat moet ik zeggen om haar op te vrolijken? Kán ik haar dan nog wel opvrolijken?
Dat is mijn angst. Iemand te zien veranderen. Een stralende

persoonlijkheid te zien veranderen in een ziek en angstig wezentje. Dat mag niet gebeuren. Ze mag het niet opgeven. Ze moet vechten, zo hard als nodig is.

Floor laat het notitieblok vallen en kijkt me aan. Ik heb het opstel voor haar geschreven. Meer voor haar dan voor die stomme docent. De tranen biggelen over Floors wangen en ze bijt op haar lip. Het beeld is zo vertrouwd. Zo keek ze ook toen ze me vertelde dat ze anorexia had. Ze vertrouwde me voor de volle honderd procent. Ik wil haar niet kwijt. Het mag niet. Ze moet beter worden!

'Sofie, ik...' stamelt ze. 'Ik weet niet wat ik moet zeggen. Is dit jouw angst?' Alles wat ze zegt lijkt van heel ver te komen.

Ik ga weer op haar bed zitten en pak het opstel. 'Ja.'

Floor zucht. 'Ik moet er inderdaad voor vechten. Maar ik weet niet of ik dat wel kan.'

'Wij kunnen alles. Zolang je maar eerlijk bent.' Ineens heb ik mijn energie weer terug. Ik weet dat ik de enige ben die Floor nu over kan halen. Natuurlijk is ze niet een-twee-drie beter, maar we kunnen toch een begin maken?

Floor glimlacht voorzichtig. 'Kijk ons nou zitten. Je lijkt mijn psycholoog wel.'

Ze heeft naar me gelachen! Ik weet niet meer waar ik het moet zoeken en val haar om de hals. Ik druk haar magere lijf stevig tegen me aan. Ik weet niet hoe lang ik haar al vast heb als Menno zijn verbaasde gezicht om de hoek van de deur steekt.

 Floor zwaait me stralend gedag. De kleur komt langzaam terug op haar gezicht. We hebben gisteravond nog even zitten praten. Toen de zuster me wegstuurde omdat Floor rust nodig had heb ik nog uren met Menno gepraat. Het was half drie toen ik eindelijk in bed lag. Het duurde lang voordat ik sliep.

Floor en ik hebben het gisteren niet alleen over haar probleem gehad. We hadden het ook over Tygo.

'Hoe gaat het tussen jullie?' had Floor gevraagd.

'Goed, heel goed.' Terwijl ik het zei, twijfelde ik meer dan ooit. Floor merkte het meteen.

'Ben je nog verliefd op hem?'

'Nee.' Het was eruit voor ik er erg in had. Ik sloeg mijn hand voor mijn mond, maar Floor knikte. Voor haar was het al maanden duidelijk: Menno.

'Nou, dan zie ik je nog wel.' Menno staat met zijn handen in zijn zakken op het perron en wiebelt van zijn ene op zijn andere voet. Het lijkt alsof hij moet plassen, maar ik weet dat hij het doet omdat hij zich geen houding weet te geven.

'Ja.'

'Ik weet niet hoe ik je moet bedanken,' mompelt hij. 'Je hebt zoveel voor ons gedaan. Dankzij jou heeft Floor in de gaten dat ze verkeerd bezig is.'

Dan besef ik pas hoeveel dat voor hem en zijn ouders betekent. Zij hebben maandenlang van alles geprobeerd. Iemand met anorexia is niet zo makkelijk te overtuigen.

Dat kan alleen als je ze echt duidelijk maakt hoe je erover denkt. Ik heb mazzel gehad. Voor hetzelfde geld had Floor mijn opstel aan flarden gescheurd en vervolgens haar vinger in haar keel gestoken. Dat ze nu écht een begin wil maken, komt niet alleen door mij. Zij staat sterk in haar schoenen, anders kan ze niet stoppen. Ik ben zo ontzettend trots op haar. Elke keer als ik aan haar denk, krijg ik een overweldigend gevoel in mijn buik en wil ik gillen.

Menno buigt zich voorover en ik krijg drie zoenen. 'Eentje voor je hulp, eentje voor je komst, en eentje omdat je zo lief bent.'

Ik kleur vuurrood. Gelukkig klinkt het fluitje van de conducteur. 'Doeg, Menno. Doe de groetjes aan Floor. Ik kom binnenkort logeren.'

'Wanneer?' vraagt Menno.

'In de vakantie, als Floor auditie moet doen.'

'Denk je dat ze dan...?' begint hij voorzichtig.

'Natuurlijk is ze dan beter. Ze gaat de sterren van de hemel spelen, man.'

Hij grijnst breed en steekt zijn duim op. 'Knap werk, Berger!'

Voor het eerst in mijn leven vind ik het niet erg dat iemand me bij mijn achternaam noemt.

Ik trek de voordeur achter me dicht. Mama en papa komen de gang in gestormd en vallen me om de hals. 'Gaat het, meisje? We waren zo ongerust!'

Ik lach. Ze zijn mijn huisarrest helemaal vergeten. 'Het gaat prima. Floor wordt weer helemaal beter.' Wat voelt het heerlijk om dat te kunnen zeggen.

Mama en papa willen alles weten. Waarom Floor daar lag, hoe het nu met haar gaat, of ik bang was in het ziekenhuis, hoe haar ouders reageerden op mijn komst. Ik geef geduldig antwoord op alle vragen.

'Voor ik het vergeet, Tygo belde nog,' mompelt papa. 'Hij vroeg waar je was.'

'En? Zijn jullie nog kwaad op hem?' vraag ik grijnzend. Ze hebben nu toch wel door dat Tygo en ik helemaal geen seks hadden? En dat zal ook niet gebeuren, schiet het door mijn hoofd.

Papa wordt een beetje rood, maar mama slaat een arm om me heen. 'Ach lieverd, we weten toch hoe dat gaat? We waren gewoon bezorgd. Toch, Theo?'

Papa gromt zachtjes. 'Bel hem nou maar.'

Dat moet ik zeker doen. Zal ik het nu uitmaken, of later? Floor heeft gelijk, ik kan hem niet aan het lijntje houden. Dat zou niet eerlijk zijn.

'Met Sofie.' Mijn stem trilt een beetje. Gelukkig gaat Tygo er verder niet op in. Hij klinkt blij.

'Hé schat, waar was je nou?'

'In het ziekenhuis bij Floor. Je hoort alles nog wel. Ik moet wat met je bespreken, ik...'

'Dat kan altijd nog, ik kom nú naar je toe.'

'Maar ik...' Tygo laat me niet uitpraten. Hij geeft een zoen in de hoorn en hangt op. Wat een sukkel ben ik toch. Ik had het hem gewoon meteen moeten zeggen. Nu komt hij hierheen. Dat maakt het nog veel moeilijker.

Even later staat hij voor de deur met een grote bos rode rozen. Ik pak ze vol schaamte aan en zet ze in het water. Het lijkt wel alsof Tygo het aanvoelt, want hij laat me geen seconde aan het woord. Hij blijft maar herhalen hoeveel hij van me houdt en dat hij altijd mijn vriendje wil blijven. En hoe jammer het was dat ik gistermiddag niet mee kon komen.

'Ik heb het toch uitgelegd? Ik moest een filosofietoets

leren.' Nu besef ik ineens dat ik die toets heb gemist doordat ik in het ziekenhuis was. Shit. Nu heb ik alles voor niets geleerd. Hopelijk kan ik hem nog inhalen.

'Soof, rustig nou. Ik heb iets voor je.' Tygo haalt een vierkant, plat pakje uit zijn jaszak. Het papier is helemaal verfrommeld.

Wat zou dat zijn? Ik scheur het papier eraf en schrik. Het is een van onze eerste foto's samen. Ik zit samen met hem op het bankje in de kinderboerderij en Billy de geit staat er ook nog op. Toen het pas aan was gingen we daar vaak heen. Boven op mijn kamer ligt bijna dezelfde foto, maar deze is nog leuker. Het lijstje is beschilderd met hartjes. 'Heb ik gemaakt bij textiel.' Tygo bloost een beetje. 'Ze hebben me dagen gepest. Vind je het mooi?'

'Mooi? Het is prachtig! Dank je wel.' Ik geef hem een zoen en leg het lijstje op het tafeltje in de gang. Er valt een korte stilte en ik wil erover beginnen, maar Tygo legt een vinger op mijn lippen. 'Stil! Ik moet ervandoor, ik heb een belangrijke toets.'

Voordat ik het besef is Tygo alweer weg en sta ik in de gang met het fotolijstje in mijn hand. Ik kijk er nog eens naar. Tygo, met zijn blonde krullen, lacht de fotograaf vriendelijk toe. Ik kijk hem smoorverliefd aan. Billy de geit kijkt verbaasd naar ons op. Hij probeerde telkens ons eten af te pakken en hij was geitsbrutaal. Wat was ik toen verliefd op die jongen. Maar het is gewoon over. Zelfs als hij me zoent voel ik niets meer. Nu Tygo dit allemaal heeft gezegd en deze foto heeft gegeven wordt het nog moeilijker om hem de waarheid te zeggen.

'Jij hebt gewoon behoefte aan wat leuks, ik hoor het al!' Bella gooit haar deur open. 'Blijf nou niet zo staan, kom binnen!' Ze trekt aan mijn arm en gooit de deur achter zich dicht. Het sneeuwt zachtjes buiten. Het is ijskoud. Ik ben even naar Bella gegaan om mijn verhaal over Floor te doen. Roosmarijn was niet thuis.

Bella schrok toen ik haar sms'te vanuit het ziekenhuis.

Ze had me meteen gebeld en ik heb alles verteld. Ze weet wel van Floors anorexia, maar niet dat het zo ernstig was.

'Hoe is het nu met haar?' vraagt Bella terwijl ze een muziekje opzet.

'Ze is natuurlijk helemaal verzwakt. Ze moet langzaam aansterken en dat vergt veel energie en doorzettingsvermogen. Ze wilde eerst helemaal niet eten, maar ik heb haar iets laten lezen.'

'Een artikel uit dat tijdschrift dat ik je had gegeven?'

'Nee, mijn opstel voor Nederlands.'

Bella lacht. 'Soof, je kunt best goed schrijven, maar vond Floor het zó mooi dat ze er een helder moment door kreeg?'

Ik moet nu ook lachen. 'Lees maar!'

'Oké,' mompelt Bella als ze het opstel teruggeeft. 'Ik snap nu wat je bedoelt. Floor heeft nu vast door waar ze mee bezig is.'

'Ze gaat stoppen met die onzin. Ik hoop dat het haar lukt.'

'Wauw, dan heeft ze wel veel doorzettingsvermogen! Ik wil die supermeid wel eens ontmoeten.'

'Ik weet niet of dat ooit zal gebeuren, ze woont in Zutphen.'

'En zij is de zus van Menno?'

Menno. Waarom gaat het altijd weer over hém als ik bij Bella ben? Ik vind het zo moeilijk om over hem te praten. Zeker nu ik erachter ben gekomen dat ik echt verliefd op hem ben. Ik maak helaas geen schijn van kans en bovendien raak ik hiermee Tygo kwijt.

'Ja, zij is de zus van Menno. Hoezo?'

'Nou, dat was toch die leuke jongen?' Bella grijnst breed. Natuurlijk is ze hem niet vergeten. 'Bella?' vraag ik voorzichtig. 'Mag ik je iets vragen?'

Bella's grijns verdwijnt. Ze heeft in de gaten dat het serieus is. Ze gaat naast me op de bank zitten en knikt.

'Ik ben niet meer verliefd op Tygo.'

Het is even stil. Bella is het zo gewend. Sofie en Tygo, het is bijna vanzelfsprekend. Ik snap het zelf ook nauwelijks. Was ik nog maar gewoon verliefd op hem, dat zou alles zo veel makkelijker maken.

'Niet meer verliefd?' Bella klinkt geschokt.

'Nee.'

'Maar hoe? Waarom? Hoe kan dat?'

'Ik ben niet meer verliefd op hem omdat ik iemand anders leuker vind.'

'Wie?'

'Dat weet je best.'

Het is even stil, maar dan springt Bella op. 'Dus toch,' roept ze lachend. 'Menno.'

Ik weet niet hoe ik moet kijken. Vindt ze het leuk? Of vindt ze me een slet?

'Maar Sofie, hoe lang weet je dit al?'

'Pas een paar dagen.'

'En Tygo? Weet hij het al?'

'Nee. Ik weet totaal niet hoe ik het hem moet vertellen. Hij kwam vanmiddag ineens aanzetten met een foto van ons tweeën en vertelde dat hij me nooit kwijt wil. Ik wil vrienden met hem blijven. Ik wil hem echt niet kwijt, Bella. En Bruno, wat zal hij wel niet denken?'

'Daar moet je niet aan denken. Bruno heeft hier niets

mee te maken. Dit is iets tussen jou en Tygo.'
'Wat moet ik nu?'
Bella trekt me omhoog. 'Je gaat nú naar hem toe!'
'En ons leuke uitje dan?'
Bella lacht. 'Dat halen we een andere keer wel in!'

'Tygo zit op zijn kamer. Hij moet leren voor een toets. Je weet de weg, hè?' Tygo's moeder lacht vriendelijk als ze me ziet. Die weet nog niet dat ik haar zoon iets vreselijks ga vertellen.

Met een misselijk gevoel loop ik de trap op. Nog steeds niet helemaal zeker van mijn beslissing klop ik op de deur.

'Binnen!' Tygo zit met een chagrijnig gezicht achter zijn bureau.

Zodra hij me ziet begint zijn gezicht te stralen. Ik kom nooit onverwachts langs. Ik heb er zelf een hekel aan als mensen dat bij mij doen.

'Ga zitten. Wil je wat drinken?'

Niet zo lief doen, denk ik. Dat maakt het allemaal nog moeilijker.

'Tygo, ik moet iets met je bespreken.'

Hij kijkt me nog steeds stralend aan.

'Het gaat over ons.'

Tygo knielt voor me neer. 'Ik weet het. Dat trouwen was misschien niet zo'n goed idee.'

'Nee, nee. Daar gaat het helemaal niet over.'

'O, waarover dan?'

'Ik, eh...' Ik ga staan en kijk uit het raam. Heel even overweeg ik van onderwerp te veranderen, maar ik doe het niet. Bella heeft gelijk, het is oneerlijk op deze manier. Ik sla Mirjam omdat ik jaloers ben, ik krijg kriebels van Menno en ik lieg tegen Tygo. Ik kan zo niet verder.

De vlinders komen niet meer terug.

'Ik maak het uit.'

Het is doodstil. Ik draai me om om Tygo's reactie te zien, maar meteen heb ik spijt. Hij heeft zijn handen voor zijn ogen geslagen.

'Het spijt me, Tygo. Ik vond het niet eerlijk op deze manier.'

Ik leg één hand op zijn schouder. Dat had ik beter niet kunnen doen. Hij slaat mijn hand weg en gaat staan. 'Rot op!' roept hij woedend. 'Rot op!'

Ik kijk hem geschrokken aan. Dit kan hij toch niet menen?

'Tygo, alsjeblieft. Ik wil het uitleggen.'

Maar Tygo wil geen uitleg. Hij duwt me de gang op en smijt de deur in mijn gezicht. Daar sta ik dan te huilen omdat mijn ex-vriendje geen vrienden wil blijven. Wat had ik dan verwacht?

Ik moet hier weg. Weg uit dit huis. Ik dender de trap af. De moeder van Tygo roept nog gedag, maar ik negeer haar.

Wat nu? Terug naar Bella? Nee. Ik ga naar Roosmarijn, zij kan me wel troosten.

Ger doet de deur open en schrikt als hij mijn betraande gezicht ziet. 'Meisje, wat is er?'

Ik schud mijn hoofd ten teken dat ik er niet over wil praten. Roosmarijn zit voor de tv. Als ze me ziet springt ze op. 'Sofie! Wat is er aan de hand?'

Ik ren naar haar toe en val in haar armen. Ik voel dat Roosmarijn achter mijn rug een gebaar naar Ger maakt dat hij op moet krassen.

Als ik wat rustiger ben geeft ze me een glas water. Nu wil ze alles weten. Ik begin bij Floor. Dat ik opgebeld werd toen ik gisteren naar huis fietste. Dat ik op het perron Menno ontmoette en dat we samen naar het ziekenhuis zijn gegaan. Ik vertel ook hoe bang ik was dat Floor het niet zou redden. 'We hebben de hele avond gepraat, ook over Tygo. Floor was ervan overtuigd dat ik verliefd ben op Menno. Dat is ook zo. Ik kom net bij Tygo vandaan. Ik heb het uitgemaakt.'

Bij die laatste zin stokt mijn adem in mijn keel en begin ik weer te huilen. Roosmarijn strijkt de haren uit mijn gezicht.

'Het is beter zo,' mompelt ze. 'Veel beter.'

Ik schud mijn hoofd. 'Ik mis hem nu al, Roos.'

'Dat went wel. Geloof me! Binnen een paar dagen is hij afgekoeld en kunnen jullie als vrienden verder.'

Ze zegt het zo zelfverzekerd. Alsof ze in de toekomst kan kijken. Maar ik geloof haar niet. Het is veel te mooi om waar te zijn. Die paar dagen worden vast maanden, misschien wel jaren. Tygo hield echt van mij. Misschien wel meer dan ik ooit van hem heb gehouden.

'Ik ben zo blij dat ik jou tenminste heb.' Ik omhels Roosmarijn weer. Dan merk ik ineens dat ze me afhoudt. Ze duwt me voorzichtig terug in de stoel. Verbaasd kijk ik haar aan. 'Wat is er?'

Roosmarijn schudt haar hoofd en staat op. 'Niets!'

Waarom liegt ze tegen mij? Zelfs nu ik mijn hele hart bij haar heb uitgestort? Ik ben het ineens ontzettend zat. Ik zet mijn glas met een klap op tafel. Het water gutst er aan alle kanten overheen.

'Roosmarijn!' roep ik. 'Ik wil dat je eerlijk tegen me bent. Ik ben het zo ontzettend zat om altijd maar die leugens van jou aan te horen! Je gaat me nu alles vertellen! Waarom doe je zo?'

Roosmarijn kauwt op haar wang. 'Hoe doe ik?'

Moet ze dat nog vragen? 'Je gedraagt je vreemd. Je hebt een geheim voor me. En elke keer als ik iets liefs zeg duw je me weg of krijg je een kop als een boei. Waarom?'

Roosmarijn kleurt alweer. Haar slapen beginnen te trillen. Ze lijkt ineens heel erg op Ger.

'Waarom?' vraagt Roosmarijn. Ze pakt me bij mijn schouders beet. 'Heb je het nou verdomme nog steeds niet in de gaten?'

Ik snap helemaal niets van dit kind. 'Wat moet ik in de gaten hebben?'

'Op wie ik verliefd ben.'

Ik frons mijn wenkbrauwen. Is ze verliefd op Tygo? Vandaar dat ze zei dat het beter was! Ze wil hem voor zichzelf hebben. Hoe kan ze dit nou doen?

'Hè?! Ik dacht je mijn vriendin was. Wil je Tygo van mij afpakken?'

Roosmarijn begint te lachen. 'Tygo? Dacht je dat het om hem ging?'

Haar gelach maakt me razend. Ik heb zin om haar te slaan. 'Om wie anders?'

Roosmarijn lacht nog steeds. 'Om jou, Soof. Ik ben verliefd op jou!'

Roosmarijn

'Dus toen zei ze ineens dat ze verliefd op míj was.' Ik hang met Floor aan de telefoon en doe verslag van vanavond.

Het is even stil aan de andere kant van de lijn. 'Wauw, dat is erg. En toen?'

Ik grinnik. 'Ik heb haar hartstochtelijk gezoend, nou goed?'

Floor moet nu ook lachen. Dat doet me goed.

'Nee, maar even serieus. Wat moet ik nou?' In mijn gedachten zie ik Floor zitten, rechtop in haar ziekenhuisbed, peinzend.

'Tsja. Ik heb dit nooit meegemaakt. Wat heb je tegen haar gezegd?'

'Ik ben meteen weggegaan. Ze moest heel erg huilen, maar ik had tijd nodig om na te denken. Het gebeurt niet elke dag dat je beste vriendin vertelt dat ze verliefd op je is.'

Floor lacht. 'Nee, daar heb je gelijk in. Maar je bent niet kwaad op haar?'

'Zij kan er toch niets aan doen? Ik vind het alleen een vreemd idee. Zou ze al verliefd zijn geweest toen we op Kreta waren?'

'Wie weet!'

'En waarom heeft ze me wel verteld dat ze verliefd was?'

'Dat is logisch. Ze wilde jouw reactie afwachten toen ze vertelde dat ze iemand leuk vond. Was je nieuwsgierig, ongeïnteresseerd, boos?'

'Ik wilde weten wie het was!'

'Ja, precies. Een goede vriendin is ook geïnteresseerd. Dat had ze nodig om te weten of ze het je ooit zou durven vertellen!'

'En nu vertelde ze het ineens.'

'Niet ineens,' lacht Floor. 'Je hebt het er haast uitgeslagen.'

Daar heeft ze gelijk in. Ik weet zeker dat Roosmarijn het nooit uit zichzelf had durven zeggen.

Papa komt nu de kamer in en maakt een geïrriteerd gebaar. 'Je moet naar bed, Sofie. Hang nou eens op!'

Ik zucht. Waarom storen vaders altijd als het net interessant wordt?

'Floor, ik bel je nog, goed? Houd vol, hè?'

'Zeker. Jij ook sterkte.'

'Kus.'

'Kus.'

Ik leg de telefoon neer en kijk mijn vader uitdagend aan. 'Zo goed, meneer?'

Papa heeft geen zin in grapjes. Hij grist de telefoon en toetst wild een nummer in. Met een rode kop wacht hij tot hij overgaat.

'Wie bel je?' vraag ik verbaasd. Normaal gesproken belt hij nooit na tienen.

'Ik bel je moeder.'

Oei! Daar ga ik me niet mee bemoeien. Ik ren de trap op en sluit mijn kamerdeur zorgvuldig. Ik heb geen zin in tandenpoetsen en trek snel mijn pyjama aan. Morgen moet ik met Roosmarijn gaan praten. Ik kan haar niet ontlopen. Bovendien moet zij zich nu ook vreselijk voelen. Maar wat verwacht ze van mij? Dat ik een relatie met haar wil? Ik kan niet verliefd op haar zijn, hoe sneu dat ook is. Ik hoop zo dat dit niet ten koste gaat van onze vriendschap. Dat zou ik echt een ramp vinden. Mijn mobieltje trilt op het nachtkastje. Het grote nieuws heeft Bruno ook bereikt.

Nieuw Soof, sorry beetje laat, maar kheb Tyg gesproken. Kan nu niet meer met jou afspreken. Srry. Slaap lkkr. Bruno

Nu ben ik niet alleen Tygo, maar ook Bruno kwijt. Komt het ooit goed? Met een hoofd vol gedachten val ik uiteindelijk in een onrustige slaap.

'Waar is mama?' Ik zit met een slaperig gezicht aan het ontbijt en beleg mijn broodjes voor tussen de middag. Papa strooit wild hagelslag over zijn boterham. Als hij een glas melk inschenkt gaat de helft ernaast. 'Verdomme, ook dat nog.' Hij haalt een doekje uit de keuken en dept met een nijdig gezicht de tafel schoon.

'Pap, ik vroeg je wat.'

'Mama is weg. Ik heb geen idee waar ze is.'

Is mama weg? Een hele nacht? Zonder te bellen? Dat is niets voor haar. Het lijkt de laatste tijd wel alsof mijn ouders ook niet meer verliefd zijn.

Roosmarijn zit al op haar plaats als ik het lokaal binnenkom. Zodra ze me opmerkt buigt ze zich over haar boek en wordt ze rood. Wat een gênante situatie.

'Hoi,' zeg ik maar gewoon. 'Hoe is het?'

'Prima,' zegt ze terwijl ze met haar geodriehoek een hoek opmeet en wat in haar schrift krabbelt.

Hè? Is ze al bij die som? We zouden vandaag toch samen verdergaan? Ze heeft gisteren kennelijk hard doorgewerkt toen ik weg was. Wat gemeen!

Ik plof naast haar neer en buig me voorzichtig naar haar toe. 'Ik moet je spreken in de pauze. Goed?'

Roosmarijn knikt zachtjes, maar vertrekt geen spier. Ze luistert aandachtig naar de leraar die het bord openklapt. Ik snap niks van de sommen die erop staan. Ik probeer telkens bij Roosmarijn op haar papiertje te kijken, maar ze geeft geen sjoege. Haar haren hangen ervoor, dus ik kan niets zien.

Als het uur eindelijk voorbij, is pak ik snel mijn tas. Ik ga Roosmarijn voor naar het lege deel van de school. Zittend op de trap zucht ik diep. Roosmarijn blijft staan en frunnikt aan haar sjaal.

'Ik wil het hebben over gisteren. Meende je wat je toen zei?'

'Elk woord.'

'Hoe lang weet je dit al?'

'Al sinds de eerste schooldag vorig jaar toen je binnenkwam en Edwin die rotopmerking maakte. Je sloeg meteen genadeloos terug.'

Ik schud mijn hoofd. 'Dat heeft Carolien voor me gedaan.'

Roosmarijn maakt een gebaartje met haar handen. 'Wat maakt het uit, je was geweldig.'

'Dus je bent al die tijd al verliefd?' Ik kan het nauwelijks geloven. Waarom heb ik nooit iets gemerkt? Bij mijn vriendinnen merk ik zoiets meteen. Tussen Bella en Cuma zag ik het al maanden aankomen, maar dít?

'Ja. Ik was zo blij toen we vriendinnen werden. Zo kon ik gewoon bij jou in de buurt zijn.'

Het idee dat ze al die tijd heeft gezwegen doet me duizelen. Al die dagen die we samen hebben doorgebracht. Het slapen in een tweepersoonsbed op Kreta, wat betekende dat voor haar?

'Dus we zijn geen vriendinnen?' vraag ik verbaasd.

Roosmarijn knielt, net als Tygo gisteren, voor me neer. 'Natuurlijk zijn we vriendinnen. Het enige verschil is dat ik verliefd ben.'

'Wat moet ik nou?'

'Je bent niet verliefd op mij. En daarmee is alles afgesloten.'

Hoe kan ze dat nou zeggen? Gaan we nou gewoon verder alsof er niets gebeurd is? O, je bent verliefd op mij? Leuk joh, laten we nu naar ons volgende vak gaan. Kun je me helpen met wiskunde? Dat slaat toch nergens op? Bij elke beweging, elk woord, elke aanraking zal ik me afvragen wat ze ermee bedoelt.

'Snap je het dan niet? Er is van alles veranderd tussen ons,' roep ik uit. Roosmarijn schudt haar hoofd. 'Nee, joh. Ik kom er heus wel overheen. Kom op, Soof, we gaan.'

Ik schud wild mijn hoofd. 'Hoe kan je nou zo achteloos doen? We hebben het hier niet over twee vriendinnen die op de thee komen bij elkaar. Jij bent *verliefd* op mij!'

Dan vertrekt Roosmarijns gezicht. Ze kijkt naar iets achter mij. Als ik me omdraai zie ik wat ze bedoelt. Daar staat Edwin. En aan de grijns op zijn gezicht te zien heeft hij alles gehoord.

'Sofie, wacht nou!' Roosmarijn probeert me tegen te houden, maar ik wil niet luisteren. Dít wordt zijn wraakactie. En ik moet toegeven: deze zal inslaan als een bom. Een lesbisch stel op school, dat wordt smullen. Dat ik niet verliefd ben Roosmarijn, zal niemand geloven. Waarom heb ik dit gesprek niet thuis gevoerd? Dan had hoogstens Stefan het kunnen horen.

Zo meteen weet iedereen het, Bella, Malou, Ellen, Bruno, en het ergste van allemaal: Tygo. Hij zal denken dat ik het daarom met hem heb uitgemaakt. Omdat ik helemaal niet op jongens val. Wat een ramp!

Waarom blijft Roosmarijn nog achter me aan lopen? Zo maakt ze het alleen maar erger.

'Roosmarijn, rot op!'

'Maar Sofie, luister nou. Ik wil je niet kwijt als vriendin.'

Ik draai me met een ruk om en Roosmarijn botst tegen me op. 'Luister, ik HOEF je niet meer. Hoor je me? Ik ben jou helemaal zat.'

'Maar de hele school zal weten wat er aan de hand is.'

'Dat is jouw probleem, ik heb hier niets mee te maken. Ik ga naar Carolien toe.'

'Carolien?' Ik hoor de paniek in haar stem. 'Zij hoeft het toch niet te weten?'

'Wat maakt één persoon meer of minder nog uit?'

Roosmarijn haalt me in en gaat voor me staan. 'Alsjeblieft. Carolien kan toch niets voor ons doen.'

De manier waarop ze 'ons' uitspreekt maakt me misselijk. Alsof we een stel zijn, gadverdamme!

'Roosmarijn, ik wil dat je me met rust laat,' zeg ik. 'Als iemand ons hier samen ziet denkt hij dat het waar is.'

Ze wil nog iets zeggen, maar ik onderbreek haar door mijn hand in de lucht te steken. Ik zwaai de deur naar de gang open en loop aarzelend naar de kantine. Zouden ze het al weten?

Hoe zal Edwin het deze keer aan de grote klok hangen? Zal hij het uitschreeuwen? In de schoolkrant laten plaatsen? Ik zie de gezichten van mijn vriendinnen al voor me. Bella zal keihard lachen als ze dit hoort, maar ze zal het begrijpen. In tegenstelling tot de rest van de school.

Ik sla mijn handen voor mijn gezicht. Wat heb ik er een puinhoop van gemaakt.

'Sofie?'

Wat doet Carolien hier? Hoort zij niet in de lerarenkamer te zitten?

'Hoi,' weet ik er nog net uit te persen. 'Alles goed?'

Carolien pakt mijn tas op en loopt ermee weg. 'Hé, geef terug.'

'Kom mee!' zegt ze resoluut en ze stapt een klein kamertje in. Ik moet wel achter haar aan lopen. Met een angstig voorgevoel ga ik op een stoel zitten. Carolien doet de deur zorgvuldig achter zich dicht. Ze slaat haar handen in elkaar en kijkt me ernstig aan. 'Dit keer ga je niet weg voordat ik alles heb gehoord. Ik heb het je een tijdje geleden al gevraagd, maar toen wilde je geen antwoord geven. Ik dacht: als ik haar een tijdje met rust laat komt ze vanzelf wel, maar dat gebeurt niet. Vandaar.'

Ik kijk naar de klok. De pauze is halverwege. Als ik tijd rek hoef ik niet meer naar buiten en zit ik straks veilig in de les.

'Het is Edwin. Hij is terug.'

'Terug?'

Ik knik.

'Wat heeft hij nu weer gedaan?'

Ik schraap mijn keel en vertel het hele verhaal. Vanaf het begin bij de fietsenstalling, tot vanmiddag. 'Roosmarijn en ik stonden te praten en toen heeft hij alles gehoord.'

Ik kijk naar de grond. Wat ben ik toch een mietje. Ik wilde het toch zelf oplossen? Carolien denkt daar anders over. Ze vindt het een verstandige beslissing dat ik haar in vertrouwen heb genomen.

'Wat moet ik nu?' vraag ik angstig. Op de klok zie ik

dat de pauze is afgelopen. Maar ik kan me niet blijven verschuilen voor Edwin en de hele meute. Ze zullen erachter komen en me vinden. Hoe dan ook.

Carolien draait aan de ring om haar vinger en staat dan op. 'Probeer niet te hard te zijn voor Roosmarijn. Ik ga iets voor je regelen. Het komt goed, Sofie. Het kan even duren, maar ik kom met een oplossing. Goed?'

Aarzelend schud ik de hand die zij uitsteekt. Wat is ze van plan?

In de laatste pauze merk ik niets van Carolines oplossing. De héle school weet ervan. Het gaat als een lopend vuurtje door de kantine en nu staart iedereen me aan.

Bella, Malou en Ellen blijven er gelukkig redelijk koel onder. Ze negeren de joelende jongens die langslopen volkomen.

'Laat hen maar, ze weten niet beter,' roept Bella als een klein jongetje voorbij komt en smakkende geluiden maakt. Ze heeft gelijk, maar ik vind het moeilijk om me er niets van aan te trekken. Dan zie ik ineens Tygo staan. Hij staat aan de andere kant van de kantine en hij hangt op een tafel bij het raam. Bruno staat naast hem en ze zijn druk in gesprek. Ze hebben het vast over mij.

'Soof?' roept Bella. 'Ik vraag het je nu al drie keer!'

'Wat?'

'Weet jij waar Roosmarijn is?'

Met een schuin oog op Tygo haal ik mijn schouders op. 'Geen idee. Ze zal de menigte wel ontvlucht zijn. Misschien moet ik ook maar weg hier.'

Bella begint te lachen. 'Dat zou slap zijn. Bovendien: je moet ze toch eens onder ogen komen? Of wil je soms verhuizen?'

'Dat is een goed idee.' Nu lach ik ook. Weg van alles.

Weg van Edwin. Weg van de onderzoekende blikken van mijn klasgenoten.

Vanuit mijn ooghoeken zie ik Tygo ineens opstaan. Ik wil ervandoor gaan, maar de weg naar de uitgang is nog enger. Ik moet alleen langs vijfentwintig scholieren. Met een schuin oog volg ik Tygo. Loop door, man! Maar hij komt mijn kant op.

'Sofie?' Ik draai me zogenaamd verrast om.

'Tygo. Hoi.'

'Is het waar?'

'Wat?'

'Dat Roosmarijn verliefd op je is?'

Ik kijk naar Bella, die me toeknikt. Toe maar, lijkt ze te zeggen. Wat maakt het uit?

'Ja. Roosmarijn is verliefd op mij.'

Tygo knikt. 'Dus daarom heb je uitgemaakt?'

Mijn god. Hoe leg ik hem dit uit?

'Nee, Tygo. Het is niet wat je denkt. Ik ben niet verliefd op Roosmarijn.'

Hij fronst zijn wenkbrauwen. 'Niet?'

Ik schud heftig mijn hoofd. 'Nee.'

Bruno komt erbij staan. Hij kijkt wat ongemakkelijk van mij naar zijn vriend. 'Tygo, laat het nou. We gaan.'

Tygo schudt zijn arm los. 'Laat me los, man! Wat weet jij er nou van? Jij hebt nooit een vriendinnetje gehad.'

Hij draait zich met een ruk om en beent de kantine uit. Bruno heeft een knalrood hoofd. Hij zegt sorry tegen mij en gaat dan zijn vriend achterna. Wat een misselijke opmerking van Tygo. Het geeft wel aan hoe erg hij het vindt, want normaal is hij niet zo.

Ik pak hoofdschuddend mijn tas. Bella legt een hand op mijn schouder. 'Gaat het wel?'

'Behalve dat de hele school denkt dat ik een pot ben en

mijn vriendje ervan overtuigd is dat ik het daarom uit heb gemaakt? Prima.'

Ik duw een paar jongetjes opzij die hartjes vormen met hun handen. Toen ik met Tygo rondliep deden ze dat nooit. Wat erg eigenlijk. Waarom mag iemand niet lesbisch zijn op deze school?

Even denk ik erover om me ziek te melden bij de conciërge, maar uiteindelijk stap ik toch mijn ANW-les binnen. De hele klas zit al te wachten. Iedereen kijkt naar mij. Ik ontwijk de blik van Roosmarijn en ga vooraan in de klas zitten, bij de tafel van de docent. Die plek is altijd vrij. Als de lerares binnenkomt kijkt ze even verbaasd naar mij, maar legt dan haar tas op tafel.

'Een goede beslissing, Berger. Betekent dit dat je op gaat letten tijdens de les?'

Ik zucht onhoorbaar. 'Misschien.'

'Hé, juffrouw.' Die stem heb ik lang niet gehoord. Edwin houdt zich de laatste tijd opvallend rustig. Nu heeft hij onderwerpen genoeg om zijn bek open te trekken.

'Ja, Edwin?'

'Vindt u het dan niet zielig dat Roosmarijn nu alleen zit?'

Wat een etter. Ik draai voorzichtig mijn hoofd om en zie Roosmarijn voorovergebogen zitten. Ze heeft haar handen voor haar gezicht, maar ik kan aan haar hals zien dat ze knalrood is.

'Hoe bedoel je, Edwin?'

'Nou,' begint Edwin, 'normaal zit ze altijd naast Sofie. Kunnen we niet zorgen dat ze het weer goedmaken? Een heuse verzoeningspoging?'

Je moet toch ziek zijn om dit soort geintjes te verzinnen? Als Edwin weer iets zegt draai ik me om. 'Edwin, houd je bek of ik laat je weer vuil ruimen!'

Edwin wappert met zijn handen. 'Poepoe, gevaarlijk, hoor. Mag ik die lesbische vuilniszak dan als eerste dumpen? O, nee. Wat stom van me. Ze is al gedumpt!'

Ik sta zo wild op dat de tafel omvalt. De lerares houdt me tegen en beveelt Edwin zijn mond te houden. 'Kan het hier nou nooit eens normaal gaan?' zucht ze.

'Dank je wel,' zegt Roosmarijn terwijl ze boeken uit haar kluisje haalt. Ik negeer haar en pak mijn boeken. Als ik weg wil lopen pakt ze mijn arm. 'Mag ik vanavond langskomen?'

Ik sla haar hand weg. Als iemand ons zo samen ziet heb ik echt geen leven meer. Edwin zei dat we altijd zoenen als niemand het ziet. 'Nee, ik kan niet vanavond. Tot maandag.'

Zonder nog iets te zeggen loop ik weg. Bij de uitgang is het een drukte van jewelste. Sommige leerlingen hebben kennelijk zelfs op het rooster gekeken om te zien waar ik het laatste uur les had.

'Hé, pot. Waar ga je heen?' Een brutaal meisje stapt naar voren. De jongere leerlingen staan achteraan op hun tenen om niks te hoeven missen.

'Ik heb een lesbische vriendin, mag ik haar jouw adres geven?'

'Waar is je vriendin? Die Roosmarijn?'

'Wat zei je vriendje?'

Ze lijken wel een stel papparazzi. Ik vlucht de school uit. Buiten adem ik diep de frisse lucht in. Gelukkig is Floor naar huis gegaan vandaag. Ik ga haar meteen mailen.

Van: Sofie Berger
Aan: Floor van de Heide
Subject: ingewikkeld

Lieve Floor,
Gaat het goed met je? Met mij niet: Roosmarijn die verliefd op me is, ik kan er niet aan wennen. Ik heb vandaag ontzettend gemeen tegen haar gedaan, maar zodra ik op de fiets zat voelde ik me schuldig. Carolien had gelijk: zij kan er toch ook niets aan doen dat ze verliefd op me is? Vreemd vind ik het wel. Hoe heeft ze dit al die tijd verborgen kunnen houden? Toen ik begin dit jaar deze klas binnenkwam vond ze me kennelijk al leuk. Ik heb mezelf toen alleen maar straal voor gek gezet. Ik heb niets gedaan wat ook maar een beetje aantrekkelijk is. En op Kreta? Wat moet ze gedacht hebben toen ik mee wilde? Ik had het veel eerder moeten merken. Al die keren dat ik haar zoenen of complimentjes gaf werd ze knalrood. Carolien zegt dat ze een plan heeft, maar ik merk er nog niets van. Ze laat me gewoon stikken. Ik word gek van Edwin, die de hele dag opmerkingen maakt. De school smult van dit verhaal. Help!
Liefs, Sofie

Van: Floor van de Heide
Aan: Sofie Berger
Subject: tsja

Lieve Sofie,
Aangezien ik nog erg zwak ben wordt dit geen lange mail. Ik vind dat je niet boos moet zijn op Roosmarijn. Zoals je zelf al zei, ze kan er niets aan doen. Ik denk dat

ze zich erg eenzaam voelt op dit moment. Dan wil je een vriendin die je steunt, niet eentje die je afkat. Sterkte, meis, je kunt het.
Liefs, Floor

Het plan van Carolien

'Kom op, je komt te laat.' Mama trekt mijn dekbed van me af. De kou komt me tegemoet. Ik trek murmelend mijn deken terug en draai me om. Waarom laat ze me niet slapen?

'Sofie! Ik zeg het niet nog eens.'

Ik zet slaperig mijn voeten naast het bed en trek snel mijn sokken aan. Ik heb een hekel aan deze koude vloer. Rillend zoek ik mijn spijkerbroek en mijn trui. Het weekend was net zo fijn, zonder Edwin. Wat is er ook alweer gebeurd? O ja, Roosmarijn is lesbisch en de hele school denkt dat wij wat hebben. Wat zal het vandaag een heerlijke dag worden.

Ik ben net op tijd voor het eerste uur. Even later zit ik in gedachten verzonken achter mijn Engelse boek. Floor mailde wel snel terug vrijdagavond. Ik voelde me meteen een stuk beter, maar nu beginnen de zenuwen me weer parten te spelen. Wat nou als dit gepest nooit ophoudt? Vanochtend in het fietsenrek stond een groepje etters me op te wachten. Ik kreeg de afschuwelijkste dingen naar mijn hoofd geslingerd. Schelden doet geen pijn, zeggen mensen wel eens, maar dan hebben ze het mooi verkeerd.

'Sofie?' Carolien tikt lachend met haar krijtje op het bord. 'Ben je wakker?'

'Wakker wel, maar verliefd?' Edwin weer. Ik ben te moe om te reageren, laat staan ruzie met hem te maken. Ik moet me erbij neerleggen dat dit nog even kan duren.

Hij heeft alle touwtjes in handen.

Roosmarijn is vandaag niet op school. Zij zal wel niet gedurfd hebben. Zelf wilde ik ook niet gaan, maar ik kan het niet blijven ontlopen. Als ik Floor moet geloven houden de pesterijen vanzelf op.

Toen ik haar gisteren ook nog even aan de telefoon had klonk ze alweer een stuk vrolijker. De dokters zeggen dat ze met sprongen vooruitgaat. Zelf had ze nooit verwacht dat ze het aankon. Ze blijft maar herhalen dat het door mij komt, maar ik kan dat niet geloven.

Komend weekend gaat ze auditie doen bij de toneelschool. Ik kom de dag ervoor logeren om haar wat afleiding te bezorgen. Ze is ontzettend zenuwachtig en Menno is bang dat ze weer eten gaat achterhouden. Ik had hem ook even aan de telefoon. Gelukkig wist ik hem ervan te overtuigen dat ze echt wil stoppen.

'Je bent een schat, tot snel!' zei hij nog voordat Floor de telefoon overnam. Ik had de hele avond dat zweverige gevoel dat ik elke keer heb als ik hem spreek. Was hij maar verliefd op mij. Maar hij heeft Isabella. En als ik hem moet geloven gaat dat nooit meer uit.

Ik schrik op als ik Carolien tekeer hoor gaan tegen Edwin. Als ze zo schreeuwt is er ineens niets meer over van haar lieve gezicht. Haar vriendelijke ogen staan dan kil en haar mondhoeken hangen naar beneden. Ze wijst met een priemende vinger naar de deur. 'Eruit, Edwin! Nu.'

Edwin staat mopperend op. 'Sofie begon.'

Ik? Waar haalt hij dat vandaan? Ik zat alleen maar op mijn stoel.

'Sofie, ga jij je ook maar melden.'

Ik kijk verbaasd op. Meent Carolien dit nou? Ik dacht dat ze aan mijn kant stond. Boos pak ik mijn tas. Op de gang geeft Edwin me een duw. 'Hé, potje, waar is je dekseltje?'

De laatste twee uur van de dag, gym, zitten er bijna op. Edwin heeft de hele dag niks gemeens meer gezegd, maar hij zit wel de hele tijd naar me te gluren. Met een brede grijns kijkt hij toe als ik achter de trampoline blijf haken en tegen de vlakte smak. De leraar komt aangesneld en vraagt of ik me pijn heb gedaan. Job is nogal in trek bij alle meisjes van onze school. Als hij vraagt hoe het met je gaat heb je het helemaal gemaakt in de klas.

'Het gaat wel,' zeg ik zachtjes. 'Mag ik stoppen met springen?'

Job kijkt me onderzoekend aan, maar geeft me dan een knipoog. 'Ga maar zitten.'

'Zitten? Naast mij? Gadverdamme, nee! Meneer, dit kunt u me niet aandoen. Ze is een vieze pot.' Edwin trekt griezelend zijn benen omhoog.

Plotseling heb ik het helemaal gehad. Wat heb ik hier nog te zoeken? Ik haat Edwin. Ik haat deze klas. Ik haat deze school en ik haat deze plek!

Terwijl ik naar de kleedkamer loop, hoor ik ineens de heldere stem van Nikki. 'Vieze pot? Hoor je dat, Sterre?'

Ik kijk achterom en zie dat Nikki op Edwin afloopt. Ze prikt met haar wijsvinger op zijn borst. 'Dus je wilt beweren dat Sterre en ik vies zijn?'

Wat is dit nou? Ik draai me om. Ik moet zien wat er gaat gebeuren. Sterre is inmiddels ook naar Edwin toe gelopen.

'Vies?' roept ze uit. 'Vies?'

Edwin begrijpt er niets van. 'Doe even normaal. Ik bedoel Berger. Zij is hier de pot! Samen met die... met die haarbal.'

Sterre en Nikki beginnen te lachen. 'Nee, Edwin. Dat zie je verkeerd. Zij is niet de enige pot hier.'

Edwin kijkt hen uitdagend aan. 'O nee? Wie nog meer dan?'

Sterre en Nikki kijken elkaar hoofdschuddend aan. Dan buigt Nikki zich ineens voorover. Ze zoent Sterre vol op haar mond. Justin begint te joelen. '*That's my girl!*'

Edwin lijkt met stomheid geslagen. Zijn mond zakt open en hij ziet er ineens heel klein en kwetsbaar uit. Hij begint te stamelen. 'M... maar... dat is niet waar!'

Nikki pakt Sterres hand en ze komen mijn kant op. 'Kom, Ster, we gaan. Deze jongen snapt kennelijk niet hoe het werkt hier.'

Onder luid gejuich lopen ze langs me heen. Ik kijk verbijsterd naar mijn joelende klasgenoten en naar Edwin, die helemaal alleen op de bank zit. Ik schud mijn hoofd en trek de deur achter me dicht. In de kleedkamer zak ik neer op een bank. Wat is er aan de hand? Sterre en Nikki?

'Verbaasd, Sofie?'

Ik kijk op en zie de stralende gezichten van Nikki en Sterre. Ze houden nog steeds elkaars hand vast.

'Wat was dat?'

Sterre lacht. 'Dat is nou een lesbisch stel.'

Ik kijk naar Nikki. 'En Justin dan?'

Nikki haalt achteloos haar schouders op. 'Hij mag toekijken.'

Mijn mond valt open. Ik snap niets meer van die twee. Waar komt dit ineens vandaan?

Sterre en Nikki beginnen nu nog harder te lachen. 'Geintje! Allemaal gespeeld.'

'Hè? Maar waarom?'

'Zie het maar als een vriendendienst. Onder leiding van Carolien.'

Carolien? Dus dit was haar plan? Heeft ze Sterre en Nikki ingehuurd? Ik moet naar haar toe. Ik pak mijn tas en wil hen voorbij sprinten, maar Nikki houdt me tegen.

'Luister. Mocht Edwin ooit nog iets gemeens zeggen hierover, dan kom je naar ons toe. Begrepen?'

Ik kijk hen dankbaar aan. 'Jullie weten niet half hoe blij ik hiermee ben.'

'Ja, nu kan je eindelijk met Roosmarijn zoenen zonder dat Edwin ertussen zit.'

'Ik ben helemaal niet verliefd op Roosmarijn.'

Nikki kijkt me verbaasd aan. 'Hè? Je hebt dat lieve gozertje toch gedumpt?'

'Ja, maar niet voor Roosmarijn. Ik ben verliefd op Menno.'

'Menno? Dat vakantievriendje?'

Ik knik glunderend. 'Ja, dat is hem!'

Als ik de trappen afbonk hoor ik Sterre en Nikki me naroepen. 'Succes, Sofie.'

Hijgend kom ik het lokaal van Carolien binnengestormd. Ze pakt net haar tas in en kijkt geschrokken op. 'Sofie? Wat kom je doen?'

Ik ren op haar af en val haar om de hals. Normaal gesproken doe ik dat nooit bij een leraar, maar dit voelt anders. Zij lijkt wel een vriendin, zo goed heeft ze me geholpen.

Als ik haar loslaat kijkt Carolien me stralend aan. 'Dus het heeft gewerkt?'

Ik begin te grijnzen. 'Nou en of! Ik zal die kop van Edwin niet gauw vergeten.'

Carolien klapt enthousiast in haar handen. 'Geweldig. Snap je nu ook waarom je eruit moest vanochtend? Ik wilde de klas voor mij alleen hebben om dit plan af te spreken.'

'Ik snap het helemaal.'

Carolien gaat zitten. 'Dus het komt weer goed met je?'

Ik knik, maar tegelijkertijd besef ik dat er nog een hoop moet gebeuren voordat het zover is. Tygo is natuurlijk nog steeds gekwetst en dat zal niet zomaar overgaan. Maar ik weet zeker dat hij het zal snappen als ik het hem over een tijdje nog eens uitleg.

'Hoef ik niet na te blijven vrijdag?' vraag ik ineens. Ik kan het Floor nu niet aandoen om niet te komen. Ze heeft zich er zo op verheugd.

Carolien schudt haar hoofd. 'Zo'n voorbeeldige leerling als jij?'

'Voorbeeldig?'

'Nou ja, je moet misschien eens wat vaker bij me langskomen voor grammatica.'

Fluitend trek ik de voordeur achter me dicht. Met een sierlijk gebaar slinger ik mijn jas op de kapstok en mijn nieuwe handschoenen in de mand. Ik ben in tijden niet zo vrolijk geweest.

Maar als ik de woonkamer binnenkom valt het fijne gevoel in een keer weg. Mama zit huilend op de bank.

Ik kom voorzichtig dichterbij en ga naast haar zitten. 'Mam? Wat is er aan de hand?'

Mama begint nog harder te huilen en snuit haar neus in haar zakdoek. 'Mam, vertel nou.'

Ze kijkt me treurig aan en strijkt liefdevol over mijn wang. 'Ach, lieverd. Ik heb er zo'n puinhoop van gemaakt. Papa is weg. Ik heb hem alles verteld over Richard en mij. Het is niet eerlijk tegenover Theo. Hij houdt zoveel van mij, maar ik kan hem niet hetzelfde teruggeven. Het spijt me.'

'Daar kan je toch niets aan doen?' probeer ik haar te troosten.

'Papa was razend toen ik het hem vanmiddag vertelde.'

Ik zie de kop van mijn vader al voor me. Hij betrapt nog tien keer liever zijn dochter tijdens het seksen.

Mama is heel verbaasd dat ik niet boos word, maar ik kan haar moeilijk uitleggen dat ik in hetzelfde schuitje zit.

'Maar wat nu?'

'We gaan scheiden. Ik trek bij Richard in en papa blijft hier wonen met jullie.'

Ik schrik. Gaat mama weg? Maar wanneer zie ik haar dan? Die Richard denkt toch niet dat ik gezellig bij hen op de koffie kom? Ik haat die man en dat zal ik altijd blijven doen.

'Maar wie moet er dan koken?'

Mama begint te lachen. 'Dat kan papa ook wel.'

'Niet waar. Die smurrie van hem is niet te eten.'

Mama begint te lachen. Haar gelach gaat over in de zoveelste huilbui.

Ik voel een brok in mijn keel. Mijn moeder ziet het. 'Lieverd, wat is er?'

'Mam, ik wil niet dat je weggaat!'

'Ach, lieverd toch. Ik ga toch niet voor altijd weg? Je komt bij me logeren en dan gaan we lekker samen shoppen.'

'Met Richard?' vraag ik bang.

Mama moet lachen. 'Nee, hij houdt niet van shoppen. Hem lozen we bij papa.'

Ik schiet in de lach en even later lachen we samen.

Van: Sofie Berger
Aan: Floor van de Heide
Subject: Carolien rulez

Lieve Floor,

Ik moet je een verhaal vertellen. Houd je vast! ☺

Ik neem alles terug wat ik ooit over mijn klas heb gezegd. Vandaag hebben Sterre en Nikki ervoor gezorgd dat Edwins pesterijtjes voorgoed over zijn. Ze zoenden elkaar ineens vol op de mond en deden alsof ze een lesbisch stel waren. Ik wist niet wat me overkwam en Edwin was helemaal van zijn stuk. Hij bleef hen maar aanstaren. In de kleedkamer vertelden ze dat het een plan van Carolien was. Je begrijpt zeker wel dat ik meteen naar haar toe ben gerend om haar eens flink te knuffelen. Ze was behoorlijk trots op zichzelf, want ze bleef maar vertellen hoe ze erop gekomen was en hoe graag Sterre en Nikki mee wilden werken. Nou, ik moest toegeven, iets beters had ze niet kunnen verzinnen!

Je weet wel wie Richard is, hè? Ik verdacht mama er altijd al van dat zij meer dan vrienden was met die man. Ze gingen samen naar de opera en ze 'logeerden' bij elkaar. Vanmiddag hebben mijn ouders alles besproken en nu gaan ze scheiden. Mama trekt bij die kwal in en papa blijft voor Stefan en mij zorgen. Ik heb zo'n

medelijden met hem. Hij zit alleen maar voor zich uit te staren.
Ik ga mama enorm missen, maar ze heeft beloofd dat ik vaak mag komen als Richard er niet is.
Misschien is het maar beter zo. Ze kunnen moeilijk bij elkaar blijven als ze niet meer verliefd zijn.
Daarom heb ik het met Tygo uitgemaakt. Het was niet eerlijk. Ik hoop dat hij me ooit vergeeft. Hij weet niet eens dat ik verliefd op Menno ben. Ik krijg trouwens toch niets met jouw broertje. Hij heeft Isabella. Ik had op zijn aanbod van een tijdje geleden in moeten gaan.

Ik hoop dat alles goed met jou gaat? Mijn hand is een beetje lam van het typen. Wauw, lekker lang mailtje! Stuur je wat terug? (Hoeft niet zo lang als deze, hoor. ☺)

Kus, hvj
Sofie

Van: Floor van de Heide
Aan: Sofie Berger
Subject: re: Carolien rulez

Lieve Sofie,

Wat een lange mail. Met een goed en een slecht bericht. Zo zie je maar dat de dingen raar kunnen lopen. Ik vind Carolien echt een supertof mens. Stel je me eens aan haar voor?
Edwin is flink op zijn nummer gezet, zonder geweld. Dat vind ik echt geweldig! Ik ben blij voor je dat het nu achter de rug is.
Heb je Roosmarijn al gesproken? Ik vind dat je haar

verkeerd hebt behandeld. Je had haar nooit zo buiten mogen sluiten, Sofie. Wat vond zij van de actie tegen Edwin?

Wat vreselijk dat je ouders uit elkaar gaan. En wat die Richard betreft: negeer hem. Als hij gemeen doet doe je gemeen terug. Als hij boert onder het eten laat jij een scheet. Als hij snurkt gooi jij een emmer water in zijn gezicht. Laat merken dat je niet met je laat sollen. Afgesproken?

Wat jou en Menno betreft: ik geef het wel een kans. Het gaat inderdaad goed tussen hem en Isabella de laatste tijd, maar dat is ook vaak anders geweest. Als je hier komt vrijdag moet je hem laten weten wat je voor hem voelt. Dan kan hij kiezen.

Met mij gaat het redelijk goed. Ik word regelmatig gecontroleerd. Ja ja, ze houden me goed in de gaten. Eten achterhouden was voor mij een gewoonte geworden en nu mag dat ineens niet meer. Ik heb trouwens jouw tip opgevolgd. Ik zit nu aan de andere kant van de tafel. Daar zit geen laatje onder en zo moet ik alles wel opeten. Menno merkt wel aan me dat ik het er moeilijk mee heb. Die veelbetekenende blikken van hem en mijn ouders kunnen me soms zo irriteren. Dan wil ik met rust gelaten worden. Natuurlijk zijn ze bezorgd, maar het is voor mij al moeilijk genoeg. Mama wil telkens opnieuw opscheppen en als ik zeg dat ik vol zit, dan kijkt ze me onderzoekend aan. Als ik tegen haar zeg dat ik echt alles opeet en niets uitspuug gelooft ze me niet. Dat kan ik zien aan haar ogen. Ik vind het naar om te merken dat ze me niet geloven. Waarom hebben ze geen vertrouwen in mij?

Ik ben blij dat je snel komt. Kunnen we eindelijk urenlang kletsen en is er niemand die ons stoort. (Behalve misschien Menno, die erbij wil komen zitten. ☺)
Nou, ik heb behoorlijk mijn best gedaan om een lange mail te schrijven.

Kus Floor

PS = Ga alsjeblieft met Roosmarijn praten. Laat haar merken dat je er voor haar bent als goede vriendin. Ze heeft je nodig, Soof.

Door een flinke zet tegen mijn bureau rijdt mijn stoel naar achteren. Ik sta op en lees het eerste stukje van Floors e-mail nog eens over. Ze heeft gelijk. Ik moet het goedmaken met Roosmarijn. Die komt niet meer bij als ze hoort wat er vandaag is gebeurd. Waarom was ze eigenlijk niet op school?

Als ik beneden kom hangt Stefan zoals gewoonlijk op de bank en Mirjam ligt met haar hoofd op zijn borst. Ik steek voorzichtig mijn hoofd om de deur.

'Mirjam?'

Mirjam kijkt verbaasd op als ze me ziet. Stefan staat kwaad op en wil me de kamer uit duwen. 'Rot op, je blijft bij mijn vriendin uit de buurt!'

Mirjam roept hem tot de orde. 'Steef, laat haar nou.'

Ik wrijf over mijn arm. Stefan kan gemeen knijpen.

'Het spijt me van die klap,' zeg ik tegen haar. 'Ik had je nooit mogen slaan. Sorry.'

Stefan zucht hoorbaar. 'Ja hoor, Sofie. Kun je nu gaan?'

'Ik meen het,' roep ik uit. 'Ik ben gewoon te ver gegaan.'

‘Komt dit soms door die potten-onzin?’ Stefan klopt op mijn voorhoofd. ‘Gaan je hersens daar traag van werken? Wij willen jouw excuses niet.’

Potten-onzin? Begint mijn broer nou ook al? Hij heeft toch gezien hoe ik met Menno en Tygo heb gezoend? Hoe verliefd ik op hen was? Denkt hij nou echt dat ik op meisjes val? Dan komt er ineens een geniaal plan in me op. Lachend duw ik mijn broer opzij.

‘Ik meen het. Ik had Mirjam nooit mogen slaan. Het spijt me, Stefan. Ik was gewoon jaloers.’

Stefan fronst zijn wenkbrauwen. ‘Jaloers op wie?’

Ik zucht diep. ‘Op jou. Je hebt werkelijk het mooiste meisje van de hele stad aan de haak geslagen. Mag ik haar niet lenen voor één nachtje? Ik beloof je dat ik haar heelhuids terug zal geven.’

Stefan kijkt eerst verbijsterd, maar dan kwaad. Herstel: laaiend. Zijn hele lichaam trilt en hij duwt me naar de deur. ‘Eruit! Nu meteen!’

Ik knipoog even naar Mirjam en ga dan de kamer uit. Stefan smijt de deur achter me dicht en ik hoor hem tieren. ‘Hoe durft ze?’

Mirjam lacht. ‘Ach man, stel je niet zo aan. Ik bén toch ook het mooiste meisje van de hele stad?’

Nog steeds lachend kom ik bij Roosmarijn aan. Ik zet snel mijn fiets op slot en ren met twee treden tegelijk de trap op. Hijgend kom ik boven. De bel galmt weg in het huis. Een paar maanden geleden stond ik hier ook. Toen moest ik het ook goedmaken met Roosmarijn, maar die keer ging het mis. Met een angstig voorgevoel wacht ik af. Wat nou als ze weer zo kwaad wordt?

Het duurt wel een minuut voor Ger open komt doen. Zijn mondhoeken hangen naar beneden en zijn ogen staan dof.

‘Hé, Sofie.’

‘Hé, is Roosmarijn er ook?’

Ger knikt en houdt de deur een eindje open zodat ik erlangs kan. Ik klop drie keer op haar kamerdeur.

‘Binnen,’ klinkt een klein stemmetje. Ik duw de deur zachtjes open. Roosmarijn ligt op haar bed met haar gezicht naar de muur. Ik doe de deur achter me dicht en loop naar haar toe. Hoe vaak hebben we hier niet gezeten? Gewoon naar muziek geluisterd of zomaar wat gekletst. Waarom moest ze nou verliefd op mij worden? Nu kunnen we nooit meer terug naar die tijd.

‘Roos?’

Roosmarijn draait zich om. Haar hele gezicht is nat van de tranen en haar ogen zijn rood. Ze kijkt me een paar seconden aan, maar draait haar gezicht dan weer naar de muur.

Waarom zegt ze nou niets? Ik vind het al zo moeilijk.

‘Roosmarijn, zeg nou wat!’ Ik pluk wat aan de snaren van haar cello.

Roosmarijn verroert geen vin. Ze blijft strak naar de muur kijken. Hier kan ik niets mee. Ik kan net zo goed weggaan. Ik loop naar de deur, maar zodra ik de deurknop vastpak begint Roosmarijn te praten.

‘Wat wil je nou dat ik zeg? Dat het een grapje was? Oké, dan zeg ik dat. Sofie, het was een grapje. Ik heb alles uit mijn duim gezogen.’ Ze is inmiddels opgestaan. ‘Je schaamt je voor mij.’

‘Doe normaal! Natuurlijk niet.’ Ik schreeuw het bijna uit. ‘Dat is het niet.’

‘O nee? Zal ik jouw geheugen even opfrissen? “Ik HOEF je niet meer. Hoor je me? Ik ben jou helemaal zat.” Dat heb je gezegd. Nou, daar hoef je geen hetero voor te zijn om dat te snappen.’

Ik plof op haar stoel neer. 'Ik had dat nooit mogen zeggen. Het spijt me. Het is alleen zo: ik wilde je niet kwijt als vriendin. Toen je vertelde dat je verliefd op me was leek het net alsof je me al die tijd had gebruikt. Alsof onze vriendschap niets waard was. Alsof je alleen maar bevriend met me was omdat je me leuk vond. Zodra je wist dat ik niet verliefd op jou ben zou je me laten vallen. Daar was ik bang voor. Ik schaam me helemaal niet voor je. Ik was op school voor jou. Ik wilde je steunen, maar ik kon het niet. Telkens als Edwin een geintje maakte klapte ik dicht. Het spijt me. Je hebt helemaal niets aan mij.'

Roosmarijn schudt haar hoofd. Ze komt op me af en pakt me met twee handen beet. Ik laat me omhoog trekken. We zijn precies even groot, valt me nu op.

'Ik heb wel iets aan jou,' zegt Roosmarijn. 'Ik heb heel erg veel aan je gehad. Ik snap heus wel dat je bent geschrokken en dat je bang bent om me kwijt te raken als vriendin, maar dat is nergens voor nodig. Ik wil vrienden met je blijven, maar ik moet even over jou heen komen. Onze vriendschap is me juist erg veel waard.'

Ik zucht opgelucht. 'Ik was zo bang dat je het niet zou begrijpen.'

Roosmarijn lacht. 'Nu moeten we alleen Edwin nog overwinnen, maar dat lukt ons toch wel?'

'Over Edwin gesproken.' Ik vergeet bijna haar het goede nieuws te vertellen. 'Carolien heeft haar plan uitgevoerd!'

'Wauw, te gek,' roept Roosmarijn als ik uitverteld ben. Ik voel een lichte kriebel in mijn buik. Het is weer zoals vroeger. Gewoon lekker kletsen, zonder moeilijkheden.

Dan komt Ger ineens binnen. Hij wil de deur weer dichtdoen als hij ons ziet, maar Roosmarijn roept hem terug. 'Wat is er?'

'Niets, laat maar. Ik laat jullie wel alleen.'

Roosmarijn begint te lachen. 'Pap, we zitten heus niet te zoenen, hoor.'

Ger krijgt een knalrood hoofd en verontschuldigt zich. 'Sorry, Sofie. Roos heeft me alles verteld.'

'Dat dacht ik al. Dus daarom mocht Roosmarijn toen niet met me mee de stad in. Je wilde haar beschermen.'

Roosmarijn slaat me op mijn hoofd. 'Heb je dat telefoongesprek gehoord?'

Ik moet lachen. 'Ik dacht dat Ger dacht dat ik een drugsverslaafde was. Ja, met zulke lui mag je dochter natuurlijk niet mee.'

Ger begint nu smakelijk te lachen. Zijn mondhoeken krullen om en hij ziet er ineens een stuk beter uit. 'Het doet me goed dat jullie het uit hebben gepraat.'

Roosmarijn maakt een gebaartje dat hij op kan krassen. 'En nu wegwezen, want ik wil Sofie zoenen.'

Als Ger weg is kijk ik haar geschrokken aan. 'Maar ik dacht, ik dacht dat we hadden afgesproken...'

Roosmarijn schudt hikkend van de lach haar hoofd. 'Gekkerd! Dacht je dat ik dat meende? Bovendien, ik vind Nikki veel aantrekkelijker dan jou.'

De auditie

Nummer 155. Het huis ziet er precies zo uit als de vorige keer toen ik hier was. Nu ben ik alleen een stuk minder gespannen. Ik weet nu zeker dat Floor het leuk vindt dat ik kom.

De tuin ligt onder een dik pak sneeuw. Ik veeg het bovenste laagje van het tuinhekje af. Het is vandaag de koudste dag sinds het begin van de winter. Ik ben goed ingepakt. Een dikke winterjas, een fleecetrui en wollen sokken. Het zijn de sokken van Roosmarijns moeder. Eigenlijk zijn ze helemaal niet zo lelijk en ze zitten heerlijk. Roosmarijn gaf ze gisteren mee. 'Voor als Floor je buiten laat staan!'

Mijn mobiel gaat af en ik lees haar berichtje:

Nieuw Hey Lieverd, veel succes aan Floor en have fun!
X Roos

Wat lief dat ze nog even wat van zich laat horen. Roosmarijn en ik hebben alles uitgepraat. Ik ben blij dat ik haar geheim nu ken, al gaat het over mij. Alles valt op zijn plaats. Haar rode kop als ik haar complimentjes gaf, de onbereikbare persoon, en natuurlijk haar hekel aan Tygo. Tygo, die goede oude Tygo. Hem zal ik wel missen.

Bella merkt dat ik het er moeilijk mee heb. In de kantine kan ik mijn ogen niet van hem afhouden. Hij staat telkens op dezelfde plek met Bruno te praten, maar kijkt niet één keer onze kant op.

'Ga dan naar hem toe,' roept Bella telkens, maar ik

durf niet. Misschien over een tijdje, als alles rustiger is.

Ik sprak Carolien laatst nog. Toen ik vroeg hoe het met Edwin af zou lopen had ze slecht nieuws voor me. Hij blijft gewoon in mijn klas. Na de voorjaarsvakantie kan ik dus nog steeds tegen zijn kop aankijken. Maar gelukkig weet ik nu dat Carolien (en de hele klas!) achter me staat. 'Als hij nog ooit een poot naar je uitsteekt, bel je mij!'

Ik moest lachen. Carolien was superfanatiek na haar geslaagde plan. 'Dit soort dingen moet ik vaker doen met pestkoppen,' had ze geroepen. Ze heeft nu ook een plek in de vertrouwenscommissie. Daar kunnen mensen met problemen terecht. Ik hoop dat ik het nooit meer nodig heb.

'Sofie!' Menno hangt uit het zolderraam. 'Je mag wel aanbellen.'

Ik kijk lachend omhoog. Hij is thuis. Een paar tellen later doet Floor stralend de deur open. Ze ziet er geweldig uit. Haar ogen glinsteren en haar huid glanst. Op haar wangen staan blosjes en haar sproeten zijn weer duidelijk zichtbaar.

'Ben ik niet te vroeg?' Ik schud de sneeuwvlokken uit mijn haar.

Floor trekt me naar binnen. 'Je bent precies op tijd!'

In de woonkamer zitten Floors ouders met een man in een leren jack te praten. Ik steek verlegen mijn hand uit. De man schudt hem hartelijk en kijkt naar Floors ouders. 'Is dit Sofie?'

Haar ouders knikken. De man richt zich weer tot mij. 'Zo, meid. Jij hebt een wonder verricht, hoor ik?'

Ik kijk Floor vragend aan. De man gaat rustig verder. 'Ik heb het over jouw opstel. Floor heeft me erover verteld.'

Ik kleur rood tot diep in mijn nek en voel me ineens heel ongemakkelijk.

'Ik ben dokter Jonker. Ik heb Floor geholpen om aan te sterken.'

Een dokter hier? Is er iets ernstigs?

Ik kijk Floor bezorgd aan. 'Gaat het wel goed met je?' vraag ik.

Floor en dokter Jonker beginnen te lachen. 'Dat is nou typisch Sofie,' roept Floor. 'Altijd bezorgd.'

Dit is niet iets om grapjes over te maken. Waarom lachen ze nou zo stom? Als er iets mis is met Floor wil ik dat weten.

Floor pakt mijn hand. 'Dokter Jonker is hier alleen om me te controleren. Tot vervelens toe.' Ze knipoogt naar de lachende arts.

Floors ouders hebben zich de hele tijd stil gehouden, maar staan nu ook op. 'Kom dokter, dan laten we u even uit.'

'Prima. Tot volgende week, Floor. Dag, Sofie. Leuk je ontmoet te hebben.'

Ik schud de hand van de dokter voor de tweede keer en ga Floor achterna naar boven. Menno zit op zijn kamer, maar hij is niet alleen. Een meisje met bruin haar zit naast hem. Ze heeft een knap gezichtje en is iets kleiner dan ik. Ze zitten samen op bed en Menno heeft een arm om haar heen. Het doet pijn hen zo samen te zien, maar ik stap toch op Menno af. 'Hé, Berger,' roept Menno en hij geeft me drie zoenen. 'Dit is Isabella. Isabella, dit is Sofie.'

Kennelijk heeft ze mijn naam nooit eerder gehoord, want ze reageert heel rustig. Zou zij niet weten dat ik iets met Menno heb gehad?

Floor pakt mijn arm. 'Kom, Soof. We gaan.'

Ik laat me gewillig meetrekken. Op Floors kamer kan ik weer rustig ademhalen. Waarom moest die Isabella nou net vandaag komen? Ze lijkt me best aardig, maar ik haat haar toch.

'Trek het je niet aan.'

'Wat?'

'Isabella. Ze is lief, maar jij bent veel leuker!'

Ik smijt lachend een kussen naar Floors hoofd.

's Avonds lig ik onwennig naast Floors bed op een veldbed. Het kraakt als ik me voor de zoveelste keer omdraai. Ik kan maar niet in slaap komen.

'Lig nou eens stil,' mompelt Floor zachtjes.

'Ik kan niet slapen,' giechel ik. 'Het is hier veel te koud.'

Floor gaat overeind zitten en knipt het lampje boven haar bed aan. Ik knijp mijn ogen dicht. 'Doe dat ding uit!'

Floor schudt haar hoofd en stapt uit bed. 'Even wat halen. Ik ben zo terug.'

Met lege handen komt ze terug. 'Menno heeft alle dekens ingepikt!'

'Nou, dat wordt dan een nachtje kou lijden.'

'Daar komt niets van in!' Floor slaat haar dekbed een stukje opzij. 'Kom dan!'

Ze knipt het licht weer uit. Daar liggen we dan. Krap, in een eenpersoonsbed. Floor klaagt nog even over mijn koude voeten, maar draait zich dan slaperig om. Ze moet goed uitgerust zijn voor de auditie van morgen.

Als ik even later haar rustige ademhaling hoor weet ik dat Floor slaapt. Ik begin het eindelijk warm te krijgen en trek de deken nog wat meer over me heen. Floor trekt meteen aan het andere eind en ik lig met een been bloot. Ik trek mijn eigen deken van het veldbed en leg die over me heen. Nu stil blijven liggen, anders val ik straks van het bed af. Dan maak ik meteen het hele huis wakker! Na een paar minuten begin ik me te vervelen. Het is doodstil en Floors gesnurk houdt me wakker.

Floor en ik hebben vanavond veel gepraat. Ik wilde weten hoe het nu met haar ging. Floor legde uit dat ze nog steeds een obsessie heeft met eten en dat ze die altijd wel zal blijven houden. De dokter let erop dat ze goed blijft eten. Als ze verzwakt, wordt ze opnieuw opgenomen in het ziekenhuis. Floor moet de laatste tijd wel vaak overgeven. Ze heeft heel erge honger en dan eet ze gewoon. Maar haar maag is zoveel eten niet meer gewend en dan komt alles er even snel weer uit. Ze wordt er treurig van, vertelde ze. Ik vond het naar om dat te horen. Ze doet zo goed haar best, maar haar lichaam werkt tegen. Ze moet blijven vechten. Elke dag opnieuw, en dat kost natuurlijk veel energie.

Ik draai me voorzichtig om, maar Floor maakt een protesterend geluidje. Zuchtend zet ik mijn voeten op de koude vloer. Rillend ga ik naar beneden, slapen lukt nu toch niet meer.

In de keuken schenk ik een glas water voor mezelf in. Ik bekijk aandachtig de foto's op het prikbord. Menno toen hij klein was. Floor toen ze haar eerste fiets kreeg. En daar hangt ineens de foto van ons samen. *Sofie en ik op vakantie in Frankrijk* staat eronder.

Floor draagt het knalgele hemdje en ik mijn rode visserspetje.

'Leuke foto is dat.'

Ik draai me geschrokken om. Ik voel me betrapt. Menno staat in zijn boxershort in de deuropening. Zelfs gapend ziet hij er sexy uit. Ik voel dat ik een kleur krijg.

'Wat doe jij hier?' vraag ik.

Menno lacht. 'Ik woon hier, weet je nog?'

'Waar is Isabella?'

'Die is allang naar huis.' Menno gaapt nog een keer en schenkt ook een glas water in. Hij gaat op een kruk zitten en krabt slaperig op zijn hoofd. 'En jij?'

'Ik kon niet slapen. Floor snurkt.' Ik ga tegenover hem aan de keukentafel zitten en speel met een kaartje dat er ligt. Ik vouw alle hoekjes om en weer terug. Menno volgt elke beweging.

Als mijn glas water op is, voel ik hoe moe ik ben. 'Ik ga weer slapen. Tot morgen.'

Menno gooit zijn glas leeg in de gootsteen en roept me terug. 'Sofie?'

'Ja?' Ik steek mijn hoofd om de hoek.

Menno schudt zijn hoofd. 'Niets, laat maar.'

'We komen te laat!' Floor rent gestresst heen en weer tussen de badkamer en de keuken.

Ik kijk Menno grijnzend aan. Hij vindt ook dat zijn zus zich aanstelt. We hebben nog een half uur en het duurt een kwartier om er te komen. Als we er te vroeg zijn wordt Floor alleen maar zenuwachtiger.

Als Floor ons rustig ziet ontbijten, trekt ze me van tafel. 'Sofie, schiet nou op.'

'Floor, je draait door. Ga even zitten.' Menno schuift een stoel dichterbij. Floor ploft neer en wacht onwillig op ons. Bij elke minuut die verstrijkt tikt ze harder op de tafel.

Ik probeer zo snel mogelijk te eten, maar ik heb geen honger. Ik ben bijna even zenuwachtig als Floor. Wat nou als ze niet aangenomen wordt? Zal ze dan weer terugvallen in haar oude gedrag? Anorexia is een ziekte die vaak voorkomt uit onzekerheid. Straks begint alles weer van voor af aan.

Als Menno eindelijk zijn boterham op heeft, kunnen we gaan.

'Hier is het.' Floors vader parkeert de auto en neemt Floor aan zijn arm mee. Haar moeder loopt aan de andere kant. In de hal hangt een grote kroonluchter en op de vloer ligt een zacht, rood tapijt. Floor schenkt geen aandacht aan de inrichting. Ze is helemaal gefocust op haar auditie. Floors ouders gaan op zoek naar koffie. Menno fluit bewonderend als hij het plafond ziet. Die schilderingen vallen me nu pas op.

'Floor, moet je kijken.' Hij stoot zijn zus aan, die nu helemaal wit ziet. Ik voel meteen weer een vlaag van bezorgdheid.

'Ik moet even naar de wc,' piept Floor.

Ik kijk Menno schichtig aan. Hij denkt hetzelfde als ik.

'Sofie, ga erachteraan. Snel!'

Ik volg Floor op een afstandje naar de meidentoiletten. Ze gaat het middelste hokje binnen en ik leg voorzichtig mijn oor tegen de deur. Er komen andere meisjes binnen, die me lachend aankijken. Het ziet er natuurlijk ook niet uit, maar ik doe het voor Floor. Ik hoor dat er doorgetrokken wordt en Floor zwaait de deur van het hokje open. De deur knalt keihard tegen mijn wang. 'Au!'

Floor kijkt me even geschrokken aan, maar dan beseft ze wat ik hier doe. Ze begint te trillen en wijst met een priemende wijsvinger naar mij. 'Sta je mij te bespieden?'

Ik kan niet anders dan de waarheid zeggen. Ze begrijpt toch wel dat ik bezorgd om haar ben?

'Luister, Sofie. Dat mijn ouders en Menno zo doen snap ik wel, maar jij?'

'Ik wilde je alleen maar helpen.'

De meisjes komen intussen uit de toiletten en giechelen om ons geschreeuw. Ik stel voor om naar een rustige plek te gaan, maar Floor wil er niets van weten. Ze is laaiend.

'Ik wil dat je weggaat!'

Wat? Maar ik wil de auditie zien.

Als ik niet meteen doe wat ze zegt, geeft Floor me een duw. 'Je hebt me toch gehoord? Wegwezen!'

Het is buiten nog kouder dan ik dacht. Mijn jas hangt nog in de garderobe en ik had geen zin om in die lange rij te staan wachten.

Wat een domper. Floor wil me er niet bij hebben! Ik ga op een bankje zitten en denk na. Wat ben ik stom geweest. Ik dacht dat onze vriendschap evenveel voor haar betekende als voor mij. Blijkbaar vergis ik me. Zij is helemaal geen goede vriendin. Ze had me alleen even nodig. Ze is een huppelkut, ik een alto. Zij is van de lippenstift. Ik van de dreadlocks. Pancake had gelijk toen ze zei dat die twee niet samen konden gaan. Ontzettend oppervlakkig, maar kennelijk zit deze wereld zo in elkaar. Ik trap tegen een steentje en kijk peinzend voor me uit. Dan voel ik een hand op mijn schouder en kijk ik in het gezicht van Menno. Hij gaat naast me zitten en vouwt zijn handen in elkaar. 'Sorry, Sofie. Het was geen slim idee van mij.'

Ik schud mijn hoofd. 'Ik dacht precies hetzelfde. We waren allebei bang dat Floor zou overgeven.'

Menno legt een hand op mijn knie. 'Dat weet ik en Floor weet dat ook. Ze wil alleen niet gecontroleerd worden. Je kent haar toch? Ze wil altijd alles zelf oplossen. Die eeuwige koppigheid van haar.'

'Waarom wordt ze dan zo kwaad? Ik dacht dat ze mij als een vriendin beschouwde.'

‘Hoe zou jij het vinden als je dag en nacht gecontroleerd werd? Telkens iemand die op je let?’

Natuurlijk snap ik dat Floor het niet leuk vindt, maar het is voor haar eigen bestwil. ‘Iemand moet haar toch controleren?’

‘Ja, dat is zo. Maar moet dat per se haar beste vriendin zijn?’

Ik kijk verbaasd op. ‘Beste vriendin?’

Menno begint te lachen. ‘Berger, doe niet zo schijnheilig. Wat dacht je dan?’

Ik haal mijn schouders op en laat me achterover zakken. Ik kan hem moeilijk mijn gedachten van daarnet vertellen. Over die twee groepen waar we toe behoren. Dat het niet samengaat. Dat het niet samen hoort. Menno zou het niet begrijpen. Wat maakt het allemaal nog uit? Ik mis de auditie.

Menno slaat met een vlakke hand op mijn dijbeen. ‘Hup. Berger, meekomen! Of dacht je nou echt dat Floor zonder jou zou beginnen?’

Ik loop onwillig met hem mee.

De jury bestaat uit vijf mensen. Ze moeten allemaal op iets anders letten: uitspraak, uitstraling, kleding, performance en karakter.

Om ons heen zitten allemaal trotse ouders en grootouders te wachten op hun kind of kleinkind. Een enkeling heeft zelfs een bos rozen meegenomen.

Terwijl ik bedenk hoeveel mensen er vandaag afvallen gaat het doek open. Er staan tientallen jongens en meisjes op het toneel. Ik stoot Menno aan. ‘Daar is ze.’

Helemaal achteraan, vijfde van rechts, staat Floor. Zelfs vanaf hier kan ik zien dat ze sterft van de zenuwen. Maar ze is niet de enige. De helft van de meiden staat strak en ook de jongens proberen het tevergeefs te verbergen.

Een dikke vrouw in het blauw legt uit wat de bedoeling is. Ze moeten zichzelf een voor een voorstellen op een originele manier. Daarna zingt iedereen een liedje. Dat van Floor heb ik gisteren al gehoord, dat zit wel goed. Maar hoe gaat ze zichzelf voorstellen?

Het lijkt uren te duren voordat Floor aan de beurt is. De eerste optredens zijn nog leuk, maar dan gaat het vervelen.

'En hier is Floor.' De dikke vrouw in het blauw kondigt de volgende kandidaat aan. Ik schiet rechtop en pak Menno's hand beet. Hij kijkt me even stralend aan, maar richt zijn blik dan op Floor. Ze loopt strak en zelfverzekerd naar voren en blijft midden op het podium staan. Dan zakt ze ineens in elkaar. Ik geef een korte gil, maar ze staat ineens weer op. Niet heel soepel, maar ze leeft in ieder geval nog. Wat was dat voor actie? Maar alles wordt duidelijk als ze begint te praten. Ze speelt een oud vrouwtje, dat achter in de tachtig moet zijn.

'Ik heette Floor. Vroeger hoor, toen ik nog jong was. Jong én knap, al zeg ik het zelf.' Ze geeft een dikke knipoog naar het tweede jurylid dat op de uitstraling let.

'Nu noemen ze me vaak mevrouw Van de Heide. Ik was gek op uitgaan, dat weet ik nog wel. O,' ze steekt één vinger in de lucht. 'En ik had allerlei vriendjes.'

Ze loopt krakkemikkig naar de andere kant van het podium, maar gaandeweg begint ze steeds fanatieker te lopen. Als ze aan de andere kant is, is ze veranderd van een oud vrouwtje in een hippe jongeman. Ze trekt zogenaamd haar stropdas recht en wijst naar het publiek.

'Ik ben Floris, uw entertainer van vanavond. Welkom!'

Ik kijk haar met open mond aan. Waar haalt ze al die typetjes vandaan?

'Mijn vriendin heet Floor. Is dat niet leuk? Elk jaar wil ze weer naar Frankrijk op vakantie. Ik probeer het altijd uit haar hoofd te praten, maar het is me nog nooit gelukt.'

Floor strijkt met haar hand door haar haren en trekt arrogant haar broek op. 'Niet dat ik haar niet aankan, hoor. Ik ben nog altijd de baas in bed.'

Een paar oma's op de rijen voor ons beginnen te fluisteren. Ze vinden het ordinair, maar ik vind het briljant. Floor laat zich niet van haar stuk brengen door de rumoerige zaal en loopt het podium weer over. Ik ben benieuwd wat ze nu weer zal verzinnen.

Ineens draait ze zich om en trekt ze de lelijkste kop die ik ooit heb gezien. Van de knappe Floor is ineens helemaal niets meer over. Eén mondhoek heeft ze omhoog getrokken en haar ogen zijn tot spleetjes geknepen.

'Luister, mensen. Er is slecht weer op komst. En Floor houdt niet van regen. Ze houdt van de zon. Ze zit dan het liefst met haar vrienden op een terras. Ik zal nooit vergeten dat ze eens stralend naar me toe kwam. Een vriendin was langsgekomen, zonder het aan te kondigen. Geweldig vond ze dat. Sofie heette ze, geloof ik. Meer weet ik niet van Floor, en meer hoef ik ook niet te weten.' De 'vieze man' hinkt het podium af.

Even is het doodstil in de zaal. Ik staar naar de plek waar ze zojuist nog stond. Ik laat de hand van Menno los. Hij kijkt me even verbaasd aan, maar trekt dan een grijns van oor tot oor.

De vrouw in het blauw komt weer op en is even sprakeloos als iedereen in de zaal. Ze kucht even om tot zichzelf te komen en kijkt op haar papiertje. 'Goed, dat was Floor. Goed gedaan, meid! Dan gaan we nu verder met...'

Mijn kont doet inmiddels pijn van het lange wachten. Menno heeft net een blikje drinken gehaald, maar ik heb het allang op. Mijn droge keel snakt naar meer, maar ik kan het niet maken om nu weg te lopen. De laatste kandidaten zijn aan de beurt en ook zij verdienen een eerlijke kans. Als de laatste jongen is geweest klinkt er een daverend applaus. De juryleden steken de koppen bij elkaar en er wordt druk overlegd. Ons wordt verzocht om naar de kantine te gaan. Ik huppel met Menno en zijn ouders van de trap af en bestel een sinas, een cola en twee koffie. Floor moet achter het toneel blijven. Wat zal zij nu zenuwachtig zijn. Maar dat is nergens voor nodig, want ze was echt geweldig. Niemand deed het zo goed als zij. Een paar meiden deden het ook leuk, maar niemand was zo origineel als Floor. Haar liedje ging ook als een trein. Haar stem haperde op het einde een beetje, maar verder was het prima.

Ik drink gulzig mijn blikje leeg en wacht op Menno, die naar de wc moest. Menno, ik ben stapelverliefd op die jongen. Toen hij me gisteren terugriep vanuit de keuken dacht ik even dat hij ook verliefd op mij was. Stom natuurlijk. Hij heeft iets met Isabella. En ik heb zelf gezien hoe knap zij is. Die laat hij echt niet vallen voor de eerste de beste meid.

'Dank je wel,' zegt Menno als hij het koude blikje aanpakt. Hij trekt het lipje er met één ruk af. 'Lekker,' zucht hij als hij het blikje met een klap op tafel zet. Zal ik het hem zeggen? Gewoon recht voor zijn raap? Wat heb ik te verliezen?

'Menno, ik...'

Dan klinkt er ineens een harde piep, gevolgd door de stem van het eerste jurylid. Of we naar de grote zaal willen komen voor de uitslag.

Als we weer zitten komt de vrouw in het blauw met een groot vel papier. Daar staan vast de namen op van de mensen die door zijn, schiet het door mijn hoofd. Menno pakt mijn hand en knijpt erin. Ik kijk opzij.

'Mag toch wel?' fluistert hij zachtjes.

Ik knik.

'Ik wil allereerst de juryleden bedanken die deze dag mogelijk hebben gemaakt.'

Een bescheiden applausje is het gevolg. Niemand heeft zin om het nog te rekken. Ik zie dat Floors ouders zich aan elkaar vasthouden. Eén oma heeft zelfs haar handen voor haar ogen, alsof ze naar een spannende film zit te kijken.

'Dan volgen nu de nummers van de kandidaten die door zijn: 4, 13, 16, 22...'

Ik kijk gespannen naar de juichende mensen die het podium op stormen. Waar blijft Floor? Welk nummer heeft ze?

'En tot slot 25.'

Er klinkt een keiharde gil. Floor komt het podium op gestormd en steekt haar handen in de lucht alsof ze een voetbalwedstrijd heeft gewonnen.

'Alle nieuwe leerlingen, gefeliciteerd!'

Ik begin nu ook te joelen. Ik val Menno om de hals en voel de overweldigende kriebel die ik ook kreeg toen Floor zei dat ze ervoor wilde vechten. Ze heeft het gehaald. Ze heeft het gewoon gehaald!

Ik let niet meer op alle mensen die tussen ons in staan. Ik

ren in één keer door de hal met de mooie rode vloer en val Floor gillend in de armen. Ze is helemaal hyper en kan nauwelijks meer normaal praten. Ze blijft het maar herhalen: 'Ik ben door, ik ben door, ik ben door!'

'Je was geweldig,' roep ik uit. 'Echt helemaal te gek. Ik wist het wel, jij hebt het gewoon.'

Floor veegt een traan weg. Ze huilt van blijdschap en opluchting. Alle spanning van de afgelopen uren komt er in één keer uit.

'Rustig maar,' zeg ik zachtjes en ik veeg een traan weg, die bijna op haar T-shirt valt. 'Je bent door, Floor. En dat heb je helemaal zelf gedaan.'

Floor snikt. 'Daarom huil ik niet. Het spijt me van vanmiddag. Ik was zo bang dat je echt weg was gegaan. Ik had het zonder jou en Menno nooit gekund. Toen ik jullie zo zag zitten op de tribune besefte ik pas hoe trots jullie op me zijn.'

Wat is ze toch een schat. Hoe kan ik haar ooit duidelijk maken hoe belangrijk ze voor me is?

'Weet je, Floor?' zeg ik glimlachend. 'Ik kan maar een ding bedenken: *don't let your hair hang down...*'

'*And kick some ass*!' maakt Floor de zin af. Ze lacht nu ook. 'Je hebt gelijk, Soof. Ik ga ervoor vechten. Je mag me best komen controleren af en toe.'

'Ik maakte me zorgen, Floor. Dat snap je toch wel?'

Floor knikt. 'Alleen een ding snap ik nog steeds niet.' Ze wijst op Menno. 'Die liefde van jullie komt maar niet van de grond.'

Ik schud mijn hoofd. 'Die heb ik opgegeven, hij heeft Isabella.'

'Onzin, Soof. Hij heeft Isabella gekozen omdat hij jou niet kon krijgen. En je gaat hem nú duidelijk maken dat hij wel degelijk kan kiezen.'

Ik wil Floor tegenhouden, maar ze heeft haar handen al aan haar mond gezet. 'Menno,' brult ze door de volle zaal. 'Menno, kom eens! Sofie wil je heel graag wat zeggen.'

Maren Stoffels over
Piercings & Parels

Meestal maak je personages naar iemand die je kent. Maar bij Roosmarijn was het andersom. Ik schrok me dood toen ik 'Roosmarijn' zag lopen over het schoolplein. Alsof ze uit mijn boek was gestapt en tot leven was gekomen! Al vanaf *Dreadlocks & Lippenstift*, vond ik Roosmarijn een heel leuk meisje. Iemand heeft zelfs een keer gezegd: 'Sofie is een kreng, kan je haar niet wat liever maken?' Deze opmerking spookte nachtenlang door mijn hoofd. Had ik een monster als hoofdpersoon gecreëerd? Had ik niet beter Roosmarijn kunnen uitwerken? Maar achteraf gezien ben ik blij dat ik voor Sofie heb gekozen, omdat ik met haar alle kanten op kan. Mensen pikken veel van haar omdat ze weten dat ze haar hart op de goede plaats heeft. En Roosmarijn is precies de persoon die Sofie nodig heeft om met beide benen op de grond te blijven staan!

Maren Stoffels

Maren als stylist van haar modellen voor het omslag van *Cocktails & Ketchup*
FOTO: Jean van Lingen

Waarom doet Floor zoveel moeite om me tegen te houden? Ik ben toch geen type als zij? Zij kan vast veel betere vriendinnen krijgen. Ik ben een skater, zij een huppelkut. Ik ben de dreadlocks, zij de lippenstift.

Zeer tegen haar zin gaat Sofie met haar ouders mee op vakantie naar Frankrijk. Nu kan ze haar geheime vriend Tygo drie weken lang niet zien. Sofie voelt zich alleen en ellendig tussen de mooie meiden die daar rondlopen. Maar tot haar stomme verbazing heeft Floor, type fotomodel, ook nog hersens in haar hoofd en worden ze beste vriendinnen.

Na de vakantie mailt Sofie Floor over het pesten in haar nieuwe klas en de problemen met Tygo. Floor weet altijd raad. Maar kan Sofie Floor ook helpen met haar eetprobleem?

Cocktails & Ketchup

Haar nieuwe klasgenoot Lewi haalt het leven van Sofie flink overhoop. Ze vindt Lewi, met haar geblondeerde haren, piercings en sigaretten, ontzettend stoer. Ze laat het niet merken, maar eigenlijk kijkt ze zelfs een beetje tegen haar nieuwe vriendin op.

Al snel hangt er een grijze wolk boven Sofie. Ze heeft niet eens meer in de gaten wie echt haar vrienden zijn. Zo kwetst ze Roosmarijn, door haar 'voor de grap' te zoenen, en laat ze Bella links liggen. Als ze het voor Lewi opneemt wanneer die uit stelen gaat, zijn haar vrienden het zat.

Ze krijgt vreselijke woorden naar haar hoofd, waarvan 'meeloper' nog het vriendelijkste is. Als zelfs de trouwe Floor de vriendschap wil opzeggen, draait Sofie door. Wie kan ze nog vertrouwen?

Ik ben verliefd op een leraar. Wat moet ik nou?

Amber is hopeloos verliefd als ze deze kreet op een wc-muur op school schrijft. Tot haar grote verbazing reageert er iemand op haar noodkreet. Al gauw wordt de anoniemeling de enige aan wie ze via de wc-deur alles durft te vertellen. Vriendin Ezra heeft immers alleen maar aandacht voor haar macho vriendje.

En dan is er nog die opdracht van haar grote liefde zelf: stille Robin weer aan het praten krijgen. Alsof ze dat er nog bij kan hebben! Toch raakt ze geïntrigeerd door deze vreemde jongen met zijn rode haar.

Wat is er met hem dat hij al maandenlang zwijgt – thuis en op school, ondanks alle pesterijen?